新しい世界

世界の賢人16人が語る未来

クーリエ・ジャポン 編

JN053533

講談社現代新書

2601

はじめに

医療体制の崩壊、ロックダウン、経済状況の悪化――。

2020年に地球全土を襲った新型コロナウイルスの猛威は、文字どおり世界中の人々をパニックに陥れた。世界は混乱し、まるで思考停止状態となってしまったかのようだった。

だが、それは同時に、この未曾有の状況下において、コロナという人類共通の問題について世界中の人々が〝本気で〟対策を考えはじめたとも言える。問題はコロナだけではない。資本主義の行き詰まり、拡大する格差、地球規模の環境破壊……人間は、パンデミックを奇貨とし、これらの難題にも一致団結して立ち向かおうという姿勢を生み出したのではないだろうか。

そこには一抹の希望さえ見える。

コロナ後の時代、ニューノーマルの時代は決して悲観すべきことばかりではないはずだ。

本書を一言で形容するならば、世界最高の知性と洞察力を兼ね備えた、いわば「21世紀の賢人」たちが、それぞれの専門分野の立場から世界のいまを分析しつつ、「世界のこれから」について論じた一冊と言えよう。

登場人物は以下の16名。まさに世界の賢者を集結させた「知のドリームチーム」といった陣容である。

ユヴァル・ノア・ハラリ（歴史学・哲学者）、エマニュエル・トッド（歴史人口学・家族人類学者）、ジャレド・ダイアモンド（生理学・進化生物学者）、フランシス・フクヤマ（政治学者）、ジョゼフ・スティグリッツ（経済学者）、ナシーム・ニコラス・タレブ（著述家）、エフゲニー・モロゾフ（ジャーナリスト）、ナオミ・クライン（ジャーナリスト）、ダニエル・コーエン（経済学者）、トマ・ピケティ（経済学者）、エステル・デュフロ（経済学者）、マルクス・ガブリエル（哲学者）、マイケル・サンデル（政治哲学者）、スラヴォイ・ジジェク（哲学者・精神分析家）、ボリス・シリュルニク（精神科医）、アラン・ド・ボトン（哲学者）

いずれも、世界の主要メディアから厳選された記事だけを翻訳・紹介するオンラインメディア『クーリエ・ジャポン』から、特に反響の高かったインタビューを中心に加筆修整をおこなったうえで、「コロナと文明」「世界経済」「不平等」「アフター・コロナの哲学」「私たちはいかに生きるか」といったテーマ別に再構成している。

自国のメディア、あるいは世界の選りすぐりの記者やジャーナリストが聞き手に回っているからだろうか、彼ら賢人たちは、時には驚くほど正直に語ったり、時には普段の取材ではなかなか見せないような本音を吐露したりもしている。また、論文や著書では難解な彼らの主張も、インタビューをおこなった記者の「翻訳」が入っているため、非常に理解がしやすいというのも本書の大きな特徴だろう。

大著『21世紀の資本』で著名な経済学者トマ・ピケティが説く「格差と資本主義」の関係の本質とは何か。「ブラック・スワン」で有名なナシーム・ニコラス・タレブが語るキーワード「反脆弱性」の正体とは。あるいは、現代を代表する政治哲学者のマイケル・サンデルが主張する「能力主義の闇」とはなぜ生じたのか——こうした知見は、明日を生き抜かなければならない我々に、きっと一筋の光明をもたらしてくれるはずである。

クーリエ・ジャポン編集部

目次

第5章　私たちはいかに生きるか――219

第１章　コロナと文明

ユヴァル・ノア・ハラリ
私たちが直面する危機

「我々は歴史の渦に入った」

Photo : Jonathan Nicholson/NurPhoto/Getty Images

Yuval Noah Harari : « Nous sommes dans un vortex historique » Le Point 20/4/1
ユヴァル・ノア・ハラリ「年末までに我々は新しい世界を生きることになる」（COURRIER JAPON 20/4/11）

Yuval Noah Harari　1976年、イスラエル生まれ。歴史学者、哲学者。オックスフォード大学で中世史、軍事史を専攻し博士号を取得。現在、ヘブライ大学で歴史学を教授。主著に、「虚構を信じる」というキーワードをもとに、なぜ現生人類が他の人類種や他の生物を追いやるに至ったかを描いた『サピエンス全史』、飢饉、疫病、戦争を克服した人類は、これから不死、幸福、神性の獲得という目標に向かって動き出すという未来の展望を描いた『ホモ・デウス』、そして私たちが直面する21のテーマを取り上げた『21 Lessons』（以上、いずれも邦訳は河出書房新社）の3部作がある。

マクロな視点から人類の歴史を叙述した世界的ベストセラー『サピエンス全史』と『ホモ・デウス』。その著者でイスラエルのヘブライ大学教授ユヴァル・ノア・ハラリが、仏誌「ル・ポワン」のインタビューに答え、新型コロナウイルス感染症（COVID-19）が社会にもたらす変革について分析した。

コロナ危機後の世界とは

——14世紀半ば、こんにち「最初のグローバル化」と呼ばれる時代に、シルクロードを旅する商人たちが中国からもたらした腺ペストは、最初イタリアとフランスを襲い、続いてイギリスに到達して、全ヨーロッパに広がりました。

ヨーロッパの人口の半分がその過程で死亡していますが、感染症の深刻な流行がもたらした予想外の結果として、社会が激変し、ルネサンスが起こりました。

また、特に西ヨーロッパでは、ペストによる労働力不足が最初の固定給制度や社会権の出現を準備し、封建秩序に終止符を打ちました。

死亡率は別として、この状況は現在と似ていると思いますか？ この大災害を乗り越えた後では、世界はそれまでとはまったく違ったものになるのでしょうか？ もしそうなら、どのようにしてでしょう？

ハラリ 新型コロナウイルス感染症（COVID-19）の危機は我々の時代にとってきわめて重要な出来事となる可能性があります。この出来事がこれほど決定的なのは、すべてをこれから把握しなくてはならないためです。

歴史は加速しています。古い規則が粉々になる一方で、新しい規則はまだ書かれている最中です。

今後1～2ヵ月で各国政府や国際機関は、実際の条件のもとで大規模な社会実験を実施することになるでしょう。そしてそれが、この先数十年の世界のかたちを決めることになるのです。

エルサレムの私の大学で起こっていることを例にとりましょう。私の大学では、大教室での講義の代わりにインターネットを用いた遠隔講義をおこなう可能性について、数年前からかなり激しい議論がありました。

それには膨大な問題点があり、反対意見も多数ありました。そのため、問題は一向に解決しませんでした。

ところが、3週間前にイスラエル政府が感染症への対応としてすべてのキャンパスを閉鎖すると、大学はすべての講義をオンラインに切り替えるシステムを導入せざるを得なくなりました。

今週すでに、私はこの方法で3つの講義をおこない、すべてうまく行きました。危機が去ったあとで、大学がまた元に戻るとは私には思えません。

もう一つの例は、数年前から一部の専門家が検討していた「ユニバーサル・ベーシック・インカム」(最低所得保障)です。地球上のほとんどすべての政治家は、このような考えは素朴で非現実的だと思い、ほんの少しでも、たとえ限定的にでも実験をすることを拒みました。

しかし、パンデミックが起こったことで、現在のアメリカの超保守的な行政機関さえも、危機の間ずっと、国民ひとりひとりにベーシック・インカムを支給することを決めました。

この実験の結果はどのようなものになるでしょうか？　いまのところ、誰にも何もわかりません。ですが、教訓は引き出されるでしょうし、それが現在の国家の生命を握る社会経済システムを一変させることもありえるでしょう。

さらにもう一つ、お年寄りや病人のケアにおけるロボットの利用の例があります。これもまた、乗り越えなくてはならない障壁が多く、しかも乗り越えるのは困難で、経験も限られていました。

しかし、看護スタッフが地球規模で緊急に必要となったことで、ロボットが一つの解決策であるということに人びとが気づきました。ロボットは疲れませんし、感染のおそれもないためです。

したがって、かなりの医療機関で、増えつづける業務のためにロボットが活用されるようになりました。現在の危機が終わったら、それらの機械は物置に戻されてしまうのでしょうか？　私はそう思いません。

いちばん可能性が高いのは、そのうちの少なくとも何台かがそのまま使われ、危機によってある種の職業の機械化が加速することです。

ほかの多くの分野でも同様のことが起こっています。こうした実験のどれが成功し、社会に対して厳密にどのような影響を与えるのかを予想するのは不可能です。

ですが、私が強調したいのは、この公衆衛生上の危機によって、我々は歴史の渦に入ったのだということです。通常の歴史の法則は中断されました。数週間で、ありえないことがあたりまえのことになりました。

それが意味するところは、我々はきわめて慎重になる必要がある一方で、あえて夢を見る必要もあるということです。

民主主義の世の中に、暴君が権力を握り、ディストピアを強要するものですが、そうした時代はまた、長いこと待ち望まれた改革が実現し、不正なシステムが再編される時代でもあります。

いまから年末までに、我々は新しい世界に生きることになるでしょう。その世界がよりよいものになるよう願う必要があります。

現代社会を特徴づける緊急性
――ペストが襲った14世紀と現代の情報社会との違いは、もちろん速度です。こんにちと

は対照的に、14世紀には「緊急」という概念は存在しませんでした。
ところで、緊急性は想像もしていなかった世界を作り出します。

「フィナンシャル・タイムズ」紙で、この問題について『暫定措置』というのは、非常事態が終わってもなおしぶとく残ろうとする」「いまや世界中すべての国が、大がかりな社会実験のモルモットだ」と書いていらっしゃいましたが、誰がこの実験をコントロールしているのでしょう?

ハラリ　こうした社会実験のいくつかは、新しい問題を解決するために現在の社会状況から自然発生的に現れてきたものです。

また、なかには指導者たちによって注意深く管理されているものもあります。どのような社会実験を、どのような条件でおこなうか、誰かが選んでいるのです。

したがって、これまでになく政治が重要になっています。この危機によって、政治家たちは巨大な権力を託され、平常時であれば何年もの闘いを要することをわずか数日で実現できるようになったからです。

——たとえば、ヨーロッパでは8つの携帯電話事業者が顧客の位置情報データを各国政府に提供することを決めましたが、反論はまったくありませんでした。

ハラリ　もう一つの例は文化です。私の国イスラエルでは、劇場や画廊、美術館、博物館、ダンスカンパニーなど、ほとんどすべての文化機関が破産の危機に直面しています。

政府はホテルやレストラン、航空会社を救済するのとまったく同じように、これらの機関も救済すべきです。まったくありそうなことですが、政府がもし自分の気に入る機関だけを援助するなら、国の文化状況は数ヵ月で一変してしまうでしょう。

もっと一般的に言って、時代と緊急性の問題は、皮肉なパラドクスに従っています。人類の生活環境が改善されればされるほど、緊急事態も頻発するようになるからです。

14世紀フランスの「あたりまえ」について考えてみましょう。当時は医療システムに頼ることはまったく不可能でしたし、国の補償を受けられる人はいませんでした。暴力が偏在し、権力者の間では信じられないような腐敗が横行しており、人びとは飢えに苦しんでいました。

もし当時、ペストではなく新型コロナウイルス感染症が発生したとして、誰が気にかけたでしょう？　誰も気にかけはしません。感染症で人口の1％が死亡する？　そんなことは、まったくあたりまえのことなのです。公共のための緊急事態という概念はそのころまだ知られていませんでした。

反対に現代世界はきわめて洗練された機関——病院や学校など——のネットワークによって特徴づけられます。それらは、想像できないほど人びとの生活環境を改善しましたが、同時に社会をより脆弱にしました。

こんにちではどんな些細な感染症でも我々は非常に多くのものを失います。緊急性という概念は、こうした洗練と脆弱性に応じて発展しました。

市民に自主性を与える社会と監視社会

——この危機は非常に重要な二つの問題を引き起こしました。そして、我々の未来はそれらに集団としてどう対応するかにかかっていると、あなたはおっしゃっています。

一つめは、「より大きな自主性を市民に与える社会」か「全体主義的な監視社会」のどちらかをグローバルな規模できわめて迅速に選ばなければならないという問題でした。

あなたによれば、中国とイスラエルがこの全体主義的社会の例ということです。中国では、ウイルスに感染していると思われる市民ひとりひとりを追跡することが可能なモバイルアプリを用いて、市民を監視する政策をおこなっています。

イスラエルではベンヤミン・ネタニヤフ首相が病人を監視するために対テロ技術を利用するという決定を下しました。

中国共産党のイデオロギー的な政策とイスラエル首相による応急措置を比較することはほんとうに可能なのでしょうか？　もしそうなら、あなたのおっしゃる危険な「社会実験」の例と見るべきなのでしょうか？

ハラリ　人類がコロナウイルスに打ち勝つということについては、私はまったく疑いを持っていません。ただ、その一方で我々が自らの内なる悪魔の誘惑に負けてしまうことを心配しています。

民主主義は、市民の健康の保護という名の下に、簡単に独裁に変わります。この脅威は取るに足らないものではありません。いままさにイスラエルでこのプロセスがおこなわれているのを私は目の当たりにしています。

フランスで、エマニュエル・マクロン大統領が必要な緊急大統領令を出したとき、彼にはそうする正当性がありました。民主的に選ばれた大統領だからです。

イスラエルのネタニヤフの場合は事情が異なります。彼は最近の選挙で負けました。なので、国民に選ばれたのではない連立政権、つまり暫定的な政府のリーダーにすぎません。

ところが、ネタニヤフは民主的な統制を一切受けずに緊急命令を好き放題にすべて出せるよう、ウイルスとの闘いの名の下に国会を閉会しようとしました。

抵抗する人びともいますが、いまのところ歴史がどちらに向かっていくかは誰にもわかりません。もしネタニヤフが目的を達すれば、イスラエルは民主国家ではなくなるでしょう。

そして、たとえ数ヵ月しか続かなかったとしても、独裁は大惨事をもたらすでしょう。なぜなら、数ヵ月もあれば自由裁量で数百億をばらまき、労働市場、教育制度、文化状況を決定的に変質させるのに充分だからです。

――将来的には「政府のアルゴリズム」が我々の健康状態を当人よりも先に把握し、我々が誰に会ったか、どこへ行ったかを知るようになるだろうと、あなたは書いています。感染経路もそのなかには含まれるでしょう。

これは進歩だと言えますが、同じアルゴリズムによって、たとえばテレビ討論や政治スピーチを聞いたときの我々の体温や心拍つまり感情的反応を分析することが可能になります。医学的な安全の代償として、政府やこうしたアルゴリズムを管理する組織が我々自身よりも我々についてよく知るようになるのです。

そして、近年のアメリカ大統領選挙で用いられたケンブリッジ・アナリティカ社（註：イギリスの選挙コンサルティング会社。マイクロターゲティングの手法を用いたことなど批判を浴び、2018年廃業）の技術よりもずっと正確に、我々の感情を操作できるようになるでしょう。

このような逸脱を避けるためには、自律した市民、つまり情報をよく知っていて、市民としての自覚を持つ人びと、自分たちのメディアやその国の公的サービスを信頼することのできる市民が必要だと、あなたはおっしゃいました。

しかし、我々が生きる情報化時代においては、矛盾したデータが絶えず蓄積され、政治家は信用を失っています。それでも、国のサービスは言うまでもなく、メディアを信じることがまだ可能なのでしょうか？


ハラリ　カギとなるのは科学教育と大学や病院、新聞社などの独立した強力な機関です。危機の最中に、そうしたものを一朝一夕につくることができないのは明らかです。その分野に投資しなくてはなりませんし、時間もかかります。

市民にしっかりとした科学教育と強力な公的機関を提供する社会は、無知な国民を監視する独裁社会よりもつねにうまく感染症を乗り切るものです。

問題は、多くの国でポピュリストの政治家が、科学、メディア、公的権威に対する市民の信頼を故意に損ないはじめたことです。ところが、この信頼がなければ、人びとはもはや何をすべきかわからなくなってしまいます。

独裁制のなかに解決策を見出せるとは思いません。反対に、解決策は信頼の回復のなかにこそあります。

感染症への薬は情報と協力

——我々が直面している二つめの重大な問題は、グローバルな問題で、国際的な連帯なしにこの危機を乗り越えることは不可能だとあなたはおっしゃいます。多くの人には、今回のパンデミックは行きすぎたグローバル化の結果と見えています。そのように考える人びとに、どのように答えますか？　たとえば、これからも中国に依存していてほんとうにいいのでしょうか？　プーチンのロシアとトランプのアメリカを協力させることは可能なのでしょうか？

ハラリ　「脱グローバル化」が解決策だという声が上がっています。これは、私には完全な誤りに思えます。

現在のグローバル化以前から感染症は存在していました。違うのは、中世にはウイルスは役馬の速度で伝播していた点です。

たいていの場合、ウイルスは小さな町や村の住民に感染するだけでしたが、ペストのような疫病はこんにちのウイルスよりもずっと致死率が高かったことが明らかになっています。

もし、孤立することで感染症から身を守りたいのであれば、中世ではなく石器時代まで遡らなくてはならないでしょう。それが、知ることのできる範囲で、人類が感染症から守られていた最後の時代です。当時は人類の数が非常に少なく、相互の接触がほとんどなかったのです。

感染症への薬は孤立主義でも分離主義でもなく、情報と協力です。ウイルスに対して人類が非常に有利な点は、効率的に協力ができることです。

中国のコロナウイルスとアメリカのコロナウイルスは宿主に感染する方法についての情報交換をすることはできません。しかし、中国はアメリカに対してウイルスやその対処方法について多くを教えることができますし、支援のための専門家や機材を送ることが可能です。

ウイルスはこれに対抗する手段が何もありません。現在の世界的リーダーシップの欠如によって、このような協力関係のメリットを引き出せないのは残念です。

公的機関に対する市民の信頼を損なった政治家たちは、国際協調への信頼も故意に損ないました。いま、我々はその代償を払っています。

数週間前には、主要国の首脳が集まり世界を襲う公衆衛生と経済という二重の危機について共通したグローバルな対応をおこなうことになっていました。これはいまだにおこなわれていません。

トランプやプーチンを信用できるでしょうか？　もはや無理です。そして、このことこそが問題なのです。

私たちは危機に突入しましたが、指導者たちがその任務の要求する水準に達していないことがあきらかなのです。ほかの国々やNGOを通して国際的なリーダーシップが出現することを願うほかありません。

民主主義の国においては、有権者には、いま起こっていることを忘れずにいてほしいです。そして、いま我々がこれほど必要としているグローバルな協力関係を作ることのできない、外国人嫌悪の指導者を選ぶことの危険性に気がついてほしいと思います。

グローバルな連帯が必要

――中国の見方によれば、危機に対する最良の防壁は共産主義の規範であり、グローバルな自由主義に代わって、それを世界中で採用するべきだということです。

一方で、孤立主義やナショナリズムの見方では、今回の危機をきっかけに、「パンデミックによって国家の構造的な弱さが至るところで明らかになったので、強い国家に集団的に回帰しなければならない」と語られるようになりました。

こうした認識に同意されていますか?

ハラリ　「強い国家」が意味する内容次第です。ナショナリズムの強い警察国家という意味でしたら、もちろん賛同しません。

必要なのは、しっかりとした公共衛生システムと有能な科学機関、正しく情報を得た市民とグローバルな連帯です。これらが、今回やこれから起こる感染症に打ち勝つための重要な要素です。

これらが不充分だと、人びとが自分たちを保護してくれる独裁者や救世主を待ち望むようになります。

――「人間は事実よりも物語を通して思考する」というのが『サピエンス全史』と『ホモ・デウス』を構成する強力な概念の一つでした。

くりかえされるテロや突然で予想外のパンデミック、地球温暖化など、我々が生きている現代は、もともと破壊された時代のように思えます。いまや予測不可能であることや予想外であることが唯一の法則であり、それだけが予測可能であるような時代です。

どのような物語であれば、このような終わりのないグローバルな緊急事態という情勢に対応することができるのでしょうか?

ハラリ　まず、あなたがおっしゃるような終わりのないグローバルな緊急事態を信じてはいけません。そんなものは存在しません。

たしかに人類は、この21世紀の初めに、核戦争や生態系の崩壊、テクノロジーの変容といった実存的脅威にさらされていますが、こうした問題に対処するのにヒステリーは役に立ちません。

　それよりも、過去の成功体験を正しく評価すること――病院、教育、ゴミ処理システム、情報の発達など、先行世代が我々に残してくれたものに感謝すること――のほうが、集団的物語を構築するためのより適した基礎となるでしょう。

　それから、我々が直面している危険や、それに対処する際に我々が果たす役割を誠実に把握することが重要です。我々の世代はコロナウイルスだけではなく、経済危機にも直面しています。この責任から逃れるべきではありません。

　最後に、グローバルな連帯を信じる必要があります。こんにち私たちが直面している主要な問題のどれ一つとして、一国だけでは解決できないものです。グローバルな問題にはグローバルな解決策が必要なのです。

エマニュエル・トッド
パンデミックがさらす社会のリスク

「新型コロナウイルス感染症が地球全体をスキャナーにかけて特権や力関係を浮き彫りにしている」

Photo : Xavier Malafosse/wikimedia

Emmanuel Todd : « On ne peut pas sacrifier les jeunes et les actifs pour sauver les vieux » L'Express 20/4/27

エマニュエル・トッド「高齢者を救うために若者を犠牲にすることはできない」（COURRIER JAPON 20/5/6）

Emmanuel Todd　１９５１年、フランス生まれ。歴史人口学者、家族人類学者。フランス国立人口統計学研究所（ＩＮＥＤ）に所属。家長、兄弟姉妹の扱いなど家族の構造が社会を規定するとして、人口統計をもとに各国の社会を分析する。１９７６年に発表した著書『最後の転落』では乳児死亡率の統計からソ連崩壊を予言したことで話題を集める。２００２年に発表した『帝国以後』（いずれも藤原書店）ではアメリカの経済的な脆弱性に注目し、帝国化した米国金融主義の没落と普遍主義の後退を予言した。

ソ連崩壊、リーマン・ショック、イギリスのEU離脱を予言し、世界にさまざまな警鐘を鳴らしてきたフランスの歴史人口学者、エマニュエル・トッド。彼はこのコロナ時代をどう見ているのか？　仏誌「レクスプレス」がインタビューした。

フランスではロックダウン（都市封鎖）が始まるや否や、都会を脱出する人たちが続出したが、人口学者・人類学者のエマニュエル・トッドもその一人だった。

もっともトッドは、そろそろ69歳なので、ブルターニュ地方の別荘に逃げ込みたくなる当然の理由があったといっていいだろう。

聞く人を惹きつける分析で知られるトッドだが、これまで新型コロナウイルス感染症（COVID-19）の危機については発言を控えてきた。わかっていないことが多い状況で何かを言うのは無分別に思えたからだ。

フランスでロックダウンが始まってから1ヵ月が過ぎた4月下旬、トッドがフランスの週刊誌「レクスプレス」に登場し、コロナウイルスによって白日のもとにさらされたフランス政府の怠慢を告発した。

トッドに言わせれば、いまのフランスには社会が暴発する深刻なリスクがあるという。トッドが悲観的な見方をするのはいまに限った話ではない。しかし、トッド以外にも社会が灰燼《かいじん》に帰す未来を予測する知識人や専門家の数が増えていることは気がかりである。

文化が似ていると死亡率も似てくる

——黄色いベスト運動後のフランス社会について書いた最新著『21世紀のフランスにおける階級闘争』（未邦訳）ではフランスで「新しい階級闘争」が進行していると指摘されていました。その階級闘争は、今回の新型コロナウイルス感染症で見えやすくなったと言えるのでしょうか。

トッド　世界全体で数十万人の死者を出しているパンデミックについて人口学者として冷徹に語るのは心苦しいのですが、やってみることにします。

最初、この感染症に襲われるのはグローバル化のエリートたちであるように見えましたが、次にお年寄りが襲われる番となり、その後、各大陸の貧しい人たちが苦しむことになりました。まるで新型コロナウイルス感染症が地球全体をスキャナーにかけて特権や力関係を浮き彫りにしているかのようです。

たとえばフランス本土では死者の60％がグラン・テスト地域圏（ストラスブールなどを含む東部圏）およびパリ地域圏で出ています。30％がオー＝ド＝フランス地域圏（北部、中心都市はリール）、オーヴェルニュ＝ローヌ＝アルプ地域圏（東部、中心都市はリヨン）、プロヴァンス＝アルプ＝コート・ダジュール地域圏（地中海沿いの南東部、中心都市はマルセイユ）、ブルゴーニュ＝フランシュ＝コンテ地域圏（東部、中心都市はディジョン）で出ています。

これらの地域圏は、私が最新著で「嵐にさらされたフランス」と呼んだ地域と重なります。産業の危機や移民の危機で荒れている地域のことです。一方、フランスの西部は「嵐から守られたフランス」であり、状況はマシです。

世界に目を向けたとき、人類学者として最初に驚いたことの一つは、文化が似ていると死亡率も似てくることでした。4月22日の時点で死亡率が最も高かったのはベルギーで、住民10万人当たりの死者数が55人でした。その次がスペインの46人、イタリアの42人が続きます。フランスは32人で、英国は27人です。

一方、ドイツとオーストリアは6人です。韓国や日本の死者数が少ないことを加味すれば、個人主義的で自由な文化の国々（英米やラテン諸国）が今回のパンデミックで被害が大きいのに対し、権威主義的な伝統がある国々（日本、韓国、ベトナム）や規律を重んじる国々（ドイツ、オーストリア）ではさほどでもないと言えます。

――権威主義的な体制の国のほうがこの種の災禍に効果的に対応できると言う人がいますが、トッドさんもそのようにお考えなのですか。

トッド　頑なに個人主義に徹するのは間違いだとわかっている私ですが、そんな私でも基本はフランスと英国と米国を行き来しながら暮らす西側の人間です。こうした自由の伝統がある国々のほうが女性の地位が認められていたり、言論の自由が脅かされなかったりすることもわかっています。

それに今回のウイルスで被害が大きかった国々は、長期的に見れば必ずしもほかの国々より失敗しているわけではありません。

――どういうことですか？

トッド　フランスと英国とスウェーデンは、人口の再生産がそれなりの率でできているのですが、ドイツや日本はそうではないのです。前者の国々の出生率は1・8ほどですが、後者の国々は1・5ほどです。

国の存亡を決めるのは出生数であり、特定の死因の死者数ではありません。ですから全体のバランスを見失ってはいけません。いまこうしてお話ししている時点（2020年4月下旬）では、新型コロナウイルス感染症の死者数はドイツで5315人、フランスで2万1373人です。

しかし、2019年、ドイツで出生数から死亡数を引くと、20万1000人のマイナスでしたが、フランスは14万1000人のプラスだったのです。ドライな分析でたいへん恐縮ですが、社会の活力の尺度となるのは、子供を作れる能力であり、高齢者の命を救える能力ではありません。

もちろん、お年寄りを救うのは道徳上、絶対しなければならないことではあります。

――全国規模のロックダウンを実施した政府も多かったです。この決定は正しかったのでしょうか。

トッド　私自身がそろそろ69歳で、健康状態もそれ相応なので、いわば「ターゲットのど真ん中」なわけですから、ロックダウンはよくなかったとは言いづらいです。

とはいえフランスでは1982〜2002年の間にエイズの流行で4万人の死者が出

て、その多くがまだ若い成人でした。新型コロナウイルス感染症の死者数の１・５〜２倍であり、新型コロナのほうは、そのうち死者の８割が75歳以上となっていきそうです。

今回のパンデミックが人口動態に大きな影響を与えるわけではないことは認めなければなりません。

政治家の「無防備さ」に唖然

――つまり、何をすべきなのでしょうか。


トッド　そろそろ外出を再開すべきです。高齢者を救うために若者や現役世代の生活を犠牲にすることはできません。そもそもフランスでロックダウンをしなければならなかったのは、ニコラ・サルコジ以降の政権が公衆衛生面での備えを縮小していたからです。

ドイツの事例を見ると、悲しくなってしまいます。新型コロナウイルス感染症に「固有の死亡率」があるわけではありません。疫病の流行で、人口８３００万人のドイツで６０００人近くが死亡し、人口６７００万人のフランスで２万人以上が死んだとしたら、根本的な問題は疫病ではないのです。

根本的な問題は、フランスの病院が破壊されていたことです。この国の指導者が、現実と切り離されていたことも示されました。

エイズや狂牛病、SARS、エボラなどの警告はあったわけです。第3ミレニアムが始まった頃から、国の統治を担う人たちは、疫病流行のリスクを大前提に考えなければならなかったのです。

私が国立行政学院（ENA）卒の高級官僚や政治家、とりわけオランドとマクロンを批判してきたことはみなさんもご存じかと思います。そんな私でも、この国の高級官僚と政治家が、私たちをここまで無防備にしていたと知って唖然としています。

——今回の危機でエマニュエル・マクロンも変わりました。いまでは国の「主権」を語るようになっています。トッドさんの耳には甘く響いているのではないでしょうか。

トッド　いかにもENA出身者の答案といった感じで、あれは紋切り型の表現を、矛盾も気にせずに並べただけです。

マクロンは、ヨーロッパの主権に加えて国の主権を、と言っていますが、これは実務の上ではナンセンスです。マクロンは現実に疎いのか、バカなのか、正気を失っているのかのいずれかだと考えています。

政府はいますぐ不足している必要物資の生産をどうにかしなければなりません。投資をして、危機を脱したら、計画を立てて、「Yヵ所に工場を建設するためにX兆ユーロを出します」と言うべきなのです。

問題はフランスに産業機構が残っていないことです。それは今回のパンデミックで衝撃的なほど明らかになりました。

どんな体制の国でも、産業機構がなければ、自国の市民の安全を守れません。それは経済的自由主義の体制でも、社会民主主義の体制でも変わりません。

問題は、ブノワ・アモン（２０１７年の社会党のフランス大統領候補。オランドに反旗を翻した）のような政治家を増やし、エマニュエル・マクロンのような政治家を減らせばいいのか、といったことではありません。大事なのは、この国をかつてのように工場、労働者、エンジニアに頼れる国にすることです。

そのためには通貨発行の能力を取り戻さなければなりません。債務の一部でデフォルトをして、債務から解放され、ユーロからも解放されなければなりません。

コロナ後の世界はどう変わる?

——新型コロナウイルス感染症によってブルーカラーの逆襲が始まりますか。

トッド　社会にとって役立つ人とそれほどでもない人がいることを、今回のパンデミックが証明してくれました。

この国が倒れずにすんだのは、トラック運転手、スーパーのレジ係、看護師、医師、教員のおかげであり、金融マンや法律を巧妙に操れる人のおかげではなかったのです。

いますべき知的議論は、長い歴史のある議論です。それは「生産的な仕事と非生産的な仕事のどちらを重視してバランスをとっていくか」というものであり、かつて経済自由主義者がマルクス主義者や保護主義者と論争を繰り広げました。

——ユニバーサル・ベーシック・インカムの導入案がフランスでもスペインでも英国でも出てきています。これは探る価値のある道なのですか。

トッド　これもスローガンでしかありません。

くりかえしになってしまいますが、問題は物資の生産なのです。グローバル化というゲームに全面的に参加してしまったおめでたい国々があった一方、自国の産業を維持し、いまも必要な物資（検査キット、マスク、人工呼吸器）を製造できる国々があるのです。

英国とフランスは、マネーの流れを占う呪術的思考にはまってしまい、産業力と医療制度を犠牲にしてしまったのです。

「未来はシンボルを操作できる者たちのものである」と言ったのは、90年代の第一次クリントン政権で労働長官を務めたロバート・ライシュです。

しかし、シンボルを操作できても、新型コロナウイルス感染症の前では何の役にも立ちません。

感染症が一目を置くのは人工呼吸器やマスクなのです。コロナウイルスでグローバル化に対して最後の審判が下されました。

フランスは中国に工場を移動させ、中国はフランスにウイルスを移動させ、マスクや医薬品の生産は中国に残り続けるのです。私たちフランス人は笑ってしまうくらいに愚かです。


――コロナ後の世界はコロナ前と大きく変わりますか。


トッド　マスクの備蓄を減らして私たちをこの窮地に追い込んだ人たちが法廷で裁かれたとき、世界が変わったといえます。

念のために言っておきますが、議会に委員会を設置するといった話ではありませんよ。これまでの体制で罪を犯した人たちが、いまも体制に残っているわけですが、その人たちが反省したのを信じろというのでしょうか。それではあまりにも安易です。無処罰はもう終わりにしなければなりません。

見せしめに拘禁刑や罰金が必要です。フランス社会にはモラルが必要であり、罰則なしにモラルはありえないのです。

これは単に原則の話ではありません。いまのフランスには社会が暴発するリスクがかなりあるのです。フランス国民は自国の指導者が自分たちを守れないことをわかっています。

政権が広報手段を握っているのをいいことに、今後もあることないことを言い続け、経済の問題をなんとかしようとしないなら、次に起きるのは、「礼節をわきまえた階級闘争」ではなく「市民同士の戦争」です。

ジャレド・ダイアモンド
危機を乗り越えられる国、
乗り越えられない国

「日本の足を引っ張る大きな要因はいくつかあります」

Photo：Robert Gauthier/Los Angeles Times/Getty Images

Jared Diamond : « Why Nations Fail Or Succeed When Facing A Crisis » Noēma 20/7/28
ジャレド・ダイアモンド「危機を乗り越えられる国、乗り越えられない国の違いは何か」（COURRIER JAPON 20/9/20）

Jared Diamond　１９３７年、アメリカ生まれ。生理学者、進化生物学者、生物地理学者。ハーバード大学、ケンブリッジ大学で博士号を取得。カリフォルニア大学ロサンゼルス校（ＵＣＬＡ）地理学教授。進化生物学などの知見を活かして1万３０００年にわたる人類のビッグヒストリーを描いた著書『銃・病原菌・鉄』（草思社）は世界的大ベストセラーとなり、ピューリッツァー賞を受賞。近刊に、幕末期に開国を迫られた日本など国家的危機に直面した各国の変革を描いた『危機と人類』（日本経済新聞出版）などがある。

新型コロナウイルス感染症（COVID-19）の蔓延、東京五輪の延期、そして首相の交代――挙げればきりがないほどの「事件」が２０２０年の日本で起きている。私たちはこの難局を乗り越えることができるのだろうか？
『銃・病原菌・鉄』などの著作で知られる進化生物学者ジャレド・ダイアモンド博士が、「危機を乗り越えられる国、乗り越えられない国がある理由」をテーマに米メディア「ノエマ」のインタビューに答えた。歴史を紐解きつつ、上手に危機を脱出した国と失敗した国を比較したときに見えてきたものとは。

ドイツができていて、日本ができていないこと

――ダイアモンドさんは近著の『危機と人類』で、国家が危機に上手に対処し、転換期を切り抜けるために何が必要かを分析しています。

カギとなるのは「現実的な自己評価」「他国の優れたところを学び、変えるべきところを変えられる能力」「他国から学びながらも自国の中核的な価値観を維持できる能力」「社会や政治で妥協できる柔軟性」などだと書いています。

その視点から新型コロナに対する世界各国の対応を見たとき、何がわかりますか。

ダイアモンド　シンガポールと台湾は、もともと危機を乗り越える能力を持っている国であり、今回の危機にも上手に対処できています。一方、イタリアは最初の頃にまずい対応をしました。いま最悪な対応をしているのがアメリカの連邦政府です。

――今回のパンデミックで学ぶべきことは何でしょうか。

ダイアモンド　一国が危機を乗り越えるうえで重要なのがナショナル・アイデンティティ(国民意識)です。今回の危機で私たちが学ぶべきことがあるとすれば、それはこの危機を通して人類がグローバル・アイデンティティを築ける可能性が出てきたということです。地球のどこにいても人類全体が運命をともにしていることが自明になりましたからね。

新型コロナが人類全体の問題だと気づければ、気候変動や資源の枯渇、格差の拡大、核兵器のリスクといった問題も人類全体の問題だと気づき、人類全体で課題に取り組める可能性が出てきます。

――歴史を紐解いたとき、難局に強い国はどこですか。

ダイアモンド 私のなかではドイツの評価が高いです。何十年もかけて第二次世界大戦の負の遺産に向き合うと同時に、冷戦が終了したときに備えてドイツ再統一の下準備をしっかり進めていました。同国はまた、ホロコーストを完全に認めており、これは教育制度にも表れています。だから「もう二度としない」という約束を信じられるのです。

私が思い出すのは1970年、(当時西ドイツの首相だった)ヴィリー・ブラントがワルシャワを訪れ、ユダヤ人ゲットーでの蜂起の記念碑の前でひざまずき、謙虚な姿勢と後悔の心を示したことです。

ドイツと日本の違いがここでしょう。日本はほかの点ではいろいろ成功しているのですが、この点だけはほんとうに失敗しています。

西ドイツの首相がたった一人でドイツの再統一をもたらしたとは言えません。ですが、1970年代のブラントの「東方外交」がドイツ再統一の下準備になりました。東側諸国との外交がなければ、ロシアだけでなく、フランスやイギリスも、ドイツの再統一を許していなかったはずです。

歴史的転換点を迎えたときの「国家の指導者の資質」も、国家が危機を乗り越えられるかを左右する重要な要因でしょう。ドイツは現実的でまともな自己評価ができ、ナショナル・アイデンティティもあり、地政学の趨勢に自国を合わせていけるのです。

——日本は一種のシーソーですよね。19世紀の明治の改革の頃は、現実的に自己評価ができ、変えるべきところを変えられました。明治の指導者たちは、産業の近代化で西洋に後れをとっていることを理解し、西洋に倣って自国の制度を刷新していきましたが、改革は段階的に進められました。国内の旧政治秩序の抵抗があり、その制限内で改革をしなければならないこともわかっていたので、過激で拙速な改革を避けられました。

ところが、明治の改革から数十年経つと、日本は別のステージに入りました。日露戦争で欧州の列強に初めて勝ったアジアの国になると、エリート軍人たちが尊大になり、自信過剰になったのです。結局、その無理がたたり、第二次世界大戦での惨憺たる結果を招きました。戦争で完全に敗北し、広島と長崎が原爆で破壊されました。

しかし戦後、アメリカに占領されると、日本にはまたしても現実的に自己評価できる能力が戻り、他国から学べるところを採用し、先進国として繁栄しました。日本には、一種のパターンのようなものがあるのですか。

ダイアモンド　危機が周期的に訪れるというパターンなら日本にはありますね。明治のときは大成功を収めましたが、だからといって戦間期も成功できたかというと、そういうわけではない。いまの日本がこれから成功できるのかどうかも、現時点ではまだわかりません。

日本の足を引っ張る大きな要因はいくつかあります。

一つは、日本がドイツとは異なり、韓国や中国と意義深い和解ができていないことです。敵対関係がいまも続いていることは危険に思えます。日本を嫌う周辺の国々が軍事力を増強させていることを思うと、日本の軍備は相対的に足りていません。

近代社会における女性の役割をまだ受け入れられていないところも日本の特徴です。加えて、日本には移民政策というか、「移民を受け入れない政策」がある。もちろん、どの国にも移民を受け入れるか否かを決める権限はあります。移民の受け入れにはプラス面もマイナス面もありますからね。

ただ、人口が減っている国で、いったい誰が保育や介護を担うのでしょうか。誰かがその仕事を担ってくれなければ、女性は仕事に復帰できません。しかも日本の高齢者は、ほとんどの国より長く生きます。財政の問題もあります。現役世代の人口が減ったとき、どうやって年金制度を成り立たせるのでしょうか。

日本はまた転換点にある。そう言えるかと思います。

井の中の蛙は痛い目にあう

――国が変われるかどうかは、世代交代も影響していると指摘されています。後に続く世代が、前の世代の改革を完遂するときもあれば、ひっくり返してしまうときもあるようですね。

ダイアモンド　つねに一貫したパターンがあるわけではないのですが、ここでは世代交代による変化がわかりやすいドイツの事例を見てみましょう。

プロイセンの保守派の政治家だったオットー・フォン・ビスマルクは「鉄血宰相」の異名を持ちました。彼は１８４８年の革命（ウィーン体制の崩壊）を見て、当時は小国の連邦だったドイツを統一するには、軍事大国になるしかないと悟ったのです。１８６２年の鉄血演説で、そうはっきりと述べています。

結果、ドイツはヨーロッパで経済と軍事の大国として台頭していきました。これがフランスやオーストリアとの戦争を引き起こし、ついには第一次世界大戦につながります。

その後、ヒトラーとナチスの世代が、第一次世界大戦の敗北をひっくり返そうとしました。第二次世界大戦の後は、１９４５年以後に生まれた世代が、親の世代に対して反抗しました。1960年代に急進派の学生運動を指導し、1998年には外務大臣になったヨシュカ・フィッシャーなどの世代です。

このように、ドイツでは世代交代が変化の効果をもたらしていることが、わかりやすいですね。

ただ、こうした事例から一般化して「成功する世代」の後には「失敗する世代」が出てくる、といった因果関係を導きだすことはできません。たしかに日本の場合、日露戦争の勝利の後、勘違いをしてしまったところがありました。

しかしアメリカのように、ベトナムで敗戦を喫した後も何の教訓も学ばず、イラクに侵攻したりして、同じ失敗を何度もくりかえす国もあるのです。

――日本の軍部の指導者は、真珠湾攻撃後のアメリカの反応を読み間違えていましたし、アメリカが戦争に動員できる産業力もひどく過小評価していました。『危機と人類』では、戦前にアメリカを訪れた日本の実業家が、アメリカの鉄の生産能力が日本の50倍だと知って驚いた話が書かれています。その実業家には、日本が戦争で勝てないことは見えていたのです。

自国の力を真っ当かつ現実的に評価するということは、他国の力を知り、既存の勢力均衡における自国の場所を見きわめることです。戦前の日本の指導者は、なぜそこを間違えてしまったのですか。

ダイアモンド　現実的な自己評価ができなかったことには理由があります。明治のときの改革派指導者はみな１８５３年の開国（ペリー来航）後に西洋に行った経験がありました。日本が開国してから最初にしたことの一つが、西洋に使節団を派遣することでした。１年半かけて西洋を見て回り、最良の制度や慣行を研究したのです。明治の世代は、西洋から学ぶ努力を意識的にしていました。

一方、１９３０年代の日本の軍部の指導者は、西洋での経験がない人が多かったのです。山本五十六《やまもといそろく》はワシントンD.C.の日本大使館付き武官だったので、アメリカの産業力が日本にくらべて圧倒的であることをわかっていました。アメリカに挑むことは得策ではないと知っていたのです。真珠湾を攻撃したらどんなことが起きるのか、警告も発していたのですが、聞き入れられることはありませんでした。それで山本五十六は、指示されたとおりに攻撃を計画し、実行したのです。

大事なのは、国の統治に関わる人たちの世界観が「世界を知ったうえで作り上げられたものであるべき」ということです。自分たちの思想傾向に都合のいい世界観になっていてはいけません。

自分の信じたい物語

――日本の軍部はアメリカ人の考え方や産業力を把握できていなかったので、攻撃したときに何が起こるのか読み違えていました。似たようなことが現代でも起きている気がします。

鄧小平は中国が成長していても「韜光養晦《とうこうようかい》」（能力を隠して力を蓄える）を掲げていましたが、習近平はそんな自重をせずに、中国が世界の舞台の中心に復帰し、テクノロジーの面でもアメリカを追い抜くと豪語しました。これはアメリカの外交エスタブリッシュメントにも、トランプ政権の面々にも許容できるものではありませんでした。だからアメリカは貿易戦争をしかけ、反撃に出ています。

習近平の問題は、動く時期が早すぎたことだと思います。中国のテクノロジーの進歩は、半導体のチップなどの分野で、まだかなりの部分が西側諸国に依存しています。第二次世界大戦前、日本の軍部がアメリカの鉄の生産能力をしっかり認識できていなかったせいで大きな代償を支払ったときと、同じようなことが起きている気がしなくもありません。

ダイアモンド　たしかに日本の軍部について言えることは、習近平にも言えるかもしれません。ですが、それはそのままいまのアメリカについても言えることです。自分の考え方に適合する物語、自分が信じたい物語があるせいで、現実認識が甘くなり、目の前の事実が見えなくなっているのです。

「これからは中国が世界を支配する『アジアの世紀』になる」といった話をアメリカ人が聞くと、ほとんどパニック状態になるのも、これが関係しているのだと思います。

しかし、中国には不利な点もあります。それは、この国で一度も民主政が敷かれたことがないため、現実の誤認を指摘することが非常に難しい点です。もちろん民主主義の国にも問題はいろいろありますが、政体が民主主義であれば、重要な理念について議論し、別の選択肢やシナリオを検討できます。一方、中国では、国全体で重要な理念について議論する経験がないに等しい状況です。すべてが鶴の一声で決まってしまいます。

人類史上最初の国家が肥沃な三日月地帯に樹立されて以来、独裁国家のほうが物事を速く進められることはわかっています。しかし、独裁制のもとで素早く下された決定が、必ず良い決定になる方法はまだ見つかっていません。中国の歴史を見ればわかるでしょう。

もちろん民主主義国でも悪い決定は下されます。しかし独裁国家にくらべれば、その「悪い決定」を修正することが簡単です。少なくともこれまでは、悪い決定を修正できています。それは民主主義の国の統治機構にチェック・アンド・バランスの仕組みが備わっているからなのです。

――とはいえ、民主主義国がほとんど一夜にして崩れてしまうこともあります。衝撃的なのはチリの事例です。南米随一の民主主義の歴史があった国だったのに、たった数年で国民の対立が激化して社会が崩壊し、軍事クーデタの後に17年も残虐な軍事独裁政権が続きました。

ダイアモンド　まさにそのとおりです。私は１９６７年からクーデタがおきた１９７３年までチリで暮らしていたので、チリという国があっという間に崩れていったのをこの目で見ました。ただ、国民の分断は、クーデタのずいぶん前から始まっていました。１９６７年の時点で、かなりの緊張感がある空気でしたからね。

当時、大統領だったエドゥアルド・フレイは評判がよく、いまふりかえってみても敬意を表するに値する人物でした。しかし急進派にはあまりにも保守的で、保守派にはあまりにも急進的な人物だったのです。そのフレイの後、サルバドール・アジェンデが僅差で権力を握りました。大統領選での得票率は36％で、次点の対立候補は35％、その次の候補は28％でした。

アジェンデの大失敗は、選挙の得票率が3分の1を少し超える程度でしかなかったのに、国民の多数が望まない方向にチリという国を導こうとしたことでした。

アジェンデは保健大臣時代の人気が高く、１９７０年に大統領に就任して最初の頃は、たった数ヵ月で銅山の国有化といった大きな決定を議会で通すなどの成功も収めていました。それで勘違いしてしまった側面もありました。それからアジェンデの支持層の内部でも、対立があったのです。

これは、いまのアメリカで単に共和党と民主党の対立があるだけでなく、それぞれの党の内部で対立が起きていることと似ています。アジェンデは、自分の支持層のなかでも、特に急進左派を満足させなければならないと考えたのです。ただ、そんなことをすれば軍部が黙っていないことはわかっていたはずでした。

——昨今のアメリカをはじめ、民主主義国のなかには、国民同士の対立と分断が深刻化しているところもあります。そういった国々がチリの事例から学べる教訓があるとすれば、それは妥協の精神が消えたら危機が迫っているということなのではないでしょうか。

市民による政治議論の質が低下し、中立であるべき機関への信頼が下がると、お互いに歩み寄って国の統治に関するコンセンサスを築くことができなくなってしまいます。そうなってしまうと国全体が崩壊しかねません。

ダイアモンド　いまのアメリカには、そうなってしまう可能性があるように思えます。民主主義が少しずつ蝕まれていき、ある時点で、もう元には戻れなくなってしまいそうです。

もっとも、アメリカの民主主義がチリのような軍事クーデタで終わるというわけではありません。いまのアメリカでは、投票権が制限されたり、投票率が下がったり、行政が司法に干渉したり、行政と立法が対立したりしています。こういった傾向が継続することで、アメリカの民主主義がゆっくり蝕まれるのです。アメリカの民主主義が、こうした困難をすべて乗り越えられると楽観視できません。私はかなり深刻なリスクがあると考えています。

アメリカのこの傾向はトランプが大統領になってから加速していますが、歩み寄りの精神は、ずいぶん前から希薄になっていました。ニュート・ギングリッチが下院議長になり、クリントン政権に対し、すべてにノーを言いだすようになった頃からの話です。もちろんギングリッチという一人の人間がそれを始めたのではなく、彼が政治文化で分断と対立が先鋭化しているのをうまく利用し、それを増幅させただけです。

なぜアメリカの政治文化は壊れてしまったのか――そこを問わなければなりません。あれから何年も経ったいまふりかえって分析すると、人と人が対面でコミュニケーションをとる機会が、あの頃から急減したのが原因ではないかと考えています。アメリカでは、この傾向の程度が他国より激しかっただけでなく、より早く起きました。

これは、後述しますが、アメリカ人の「移動の文化」が関係しています。彼らは生まれ故郷を遠く離れ、広大な国の端から端へと移動することが珍しくありませんからね。「ラスト・ベルト」地帯で産業が衰退し、グローバル経済の台頭で格差も拡大しました。こうしたこともあって、アメリカでは階級や学歴の差で人びとが分断され、隔離されて暮らすようになったのです。

なにが「分断」を生んでいるのか

――いまのアメリカでは「社会化を推進する機関」が減り、「社会の分断を深める機関」が増えるという二つの力が働いているように見えます。アメリカでは徴兵制度がなくなったほか、ほとんどの子供が公立学校に通う時代でもなくなりました。出自や人種や階級が異なる人が一つの場所に放り込まれ、対面しながら交流する場所がなくなっていったのです。

一方、大手メディアは、競争が激しい環境で文化的にニッチな領域を攻めており、巨大SNSを持つコングロマリットは、似たような思想傾向の人びとの間でコンテンツをバイラル化（爆発的に広げる）させて利益を得るビジネスモデルを築いています。

ダイアモンド　私も同じ見方です。チリのほうがいまのアメリカより問題が深刻だった部分もあれば、いまのアメリカのほうがチリよりも問題が深刻である部分もあります。

チリの歴史を見ると、軍隊が政治に介入する事態が何度か起きていました。つまり、1973年のピノチェトのクーデタのような大きなものはなかったにせよ、クーデタの歴史的前例はあったのです。これにくらべれば、アメリカでは軍隊が政治に介入した前例がないことは心強い。

しかし、アメリカは昔から社会資本が少なく、人と人の間の信頼が希薄です。これは、アメリカ人が地理的に遠く離れて暮らしていることが部分的に関係しているでしょう。アメリカ人の場合、引っ越しをするときは、国の端から端へと移動することも珍しくありません。4000キロメートルも移動したりするのです。くらべて、ドイツ人の引っ越しは短距離です。ハノーヴァーからベルリンに引っ越したとしても、電車に乗れば日帰りでハノーヴァーまで戻って友人と会えるのです。

今年、私は高校卒業65周年の同窓会に行きましたが、同期の23人のなかで、私の自宅の周囲960キロ圏内に暮らしている人は一人もいませんでした。全員がアメリカ各地に散らばって暮らしているのです。これが、アメリカの典型的な姿。引っ越しの回数が多く、距離が長いわけです。

これにくらべると、ドイツ人もイタリア人も引っ越しの回数が少なく、国も小さいので移動距離も短くなります。

私はこの点を強調しておきたいのです。アメリカ人にとって、空間の移動はあまりにも当たり前のことなので、それが社会にどんな影響を与えているのか、把握できていないところがあります。その影響がいま、出てきています。

――2016年のアメリカ大統領選を分析したとき、有権者が生まれ故郷からどれくらい移動したかでトランプのポピュリズムに共感するかどうかが見えてくるという話がありました。アメリカの北中西部では「トランプに投票した人」と「地元にとどまった人」の間にはっきりした相関関係がありました。

同じような相関関係は、イギリスのEU離脱の可否を問う国民投票でも見られました。イギリスのジャーナリスト、デイヴィッド・グッドハートが指摘した「エニウェア族」（移動するエリートたち）と「サムウェア族」（地元にとどまる人たち）の対立です。どこにでも移動して生活できる人たちがEU残留に票を投じ、地元にとどまった人たちがEU離脱に票を投じました。

ダイアモンド　それは意外ではありませんね。しかもエニウェア族とサムウェア族は、日々の生活でほとんど場を共有することがないので、分断はますます深刻になっています。

――話をチリに戻します。アジェンデは、社会の大半が受け入れられない急進的な政策を推し進めたとのことでした。

これはトランプが環境保護や移民や国際関係の分野で、国民が賛同できない急進的な政策を推し進めたことと似ていますか？　トランプの場合も、（2016年の）選挙で勝てたのは、カギを握る北中西部の州の数万票のおかげであり、全体の得票数では負けていたわけですからね。

ダイアモンド　アジェンデのほうがトランプよりも非現実的でした。チリという小さな国が、アメリカや巨大多国籍企業に挑もうとしたわけですからね。保守的な軍部の不安を煽ってしまいました。

アジェンデにくらべれば、トランプのほうが自分の政策を国民に納得してもらえる可能性が高いでしょう。

世界は「気候危機」を乗り越えられるのか

――気候変動という地球規模の危機についてうかがいます。著書の『危機と人類』では、過去に危機を乗り越えた経験のある個人や国民のほうが、現実を適切に把握し、効果的な行動をとれると指摘しています。「前にも困難にぶつかったけれど、それを乗り越えられた。だから今回ももう一度、同じことができるはずだ」という考え方になれるとのことでした。

国際的な課題に関しては、これまでも帝国や超大国、国連やG20といった国際機関が取り組んできた歴史があります。しかし、地球上のすべての国と社会が共通の危機に直面し、それを乗り越えていった経験は人類史上前例がありません。文明全体の運命を左右しかねない気候変動という課題に取り組むとき、私たちはどんな手段や経験を頼りにすればいいのでしょうか。

ダイアモンド　『危機と人類』を書き始めた頃、私は気候変動の問題に関して悲観的な見方をしていました。世界は気候変動という未曾有の規模の危機に直面した経験もなければ、それを乗り越えた経験もなかったからです。しかし、本を書き終えたときには私の考えは変わっていました。

じつはこの40年で、世界は非常に難しい問題を地味に解決してきた、それなりの実績があるのです。たとえば天然痘の撲滅です。天然痘の脅威を取り除くためには、地球上のすべての国で天然痘を根絶しなければなりません。天然痘の最後の感染者が出たソマリアなど、世界の隅々まで足を運んで達成したのです。

排他的経済水域を決める合意もありました。世界中の国々が自国の主権が及ぶ水域を主張していて、それらの水域が重なっていることもあったのです。それにもかかわらず、時間はかかりましたが、国際条約で一定の合意に達することができています。

オゾン層の破壊を食い止めるため、すべての国が大気圏からフロン類をなくすことに合意するという出来事もありました。深海の鉱物資源についても、陸に囲まれた国々も含めて国際合意に到達しています。

世界の国々が一致団結して危機に向き合い、乗り越えるには、世界の人びとが共通のアイデンティティを持つことが必要です。そうしたアイデンティティが、行動の方向性に忠誠を尽くすことを可能にするからです。しかしいまは、世界各国でナショナリズムが高まっており、強固なグローバル・アイデンティティが築けていません。

気候変動との闘いでは、グローバル・アイデンティティの構築が最重要の課題です。

——ある国が成功するのか、それとも失敗するのか。それに影響を及ぼす文化的要素はあるのでしょうか。たとえばシンガポール、台湾、韓国、日本、中国などの儒教文化を持つ東アジアの国々は、数十年で開発途上国から発展して繁栄しているのに対し、アフリカやラテンアメリカ諸国はいまも停滞しているように見えます。

ダイアモンド　その指摘には一理あります。しかし主流の人類学者たちの間では、発展を妨げる「不健全な文化を持つ社会」といった話は軽蔑されているんです。文化とはルーツや慣習が異なるだけだ、という立場ですからね。

儒教文化の特徴は、個人主義が弱く、共同体が強いことです。これが稲作と関係があると指摘する興味深い議論があります。稲作は協力関係や集団作業が必要な経済活動であるのに対し、麦作は農家が個人でできるので、そこが異なるというのです。

私は地理学者として北米とラテンアメリカの違いについて、別の考えも持っています。学部生相手の地理の講座では、まずは北米について1回講義した後、南米について1回講義します。南米についての講義では、なぜ北米のほうが経済的に成功しているのかという話もしますが、これには複数の要因が関係しています。

第一の要因は、一般論ですが、温帯のほうが熱帯よりも経済的に成功しやすいことです。これは、温帯の土壌が熱帯よりも豊かで、農業における生産性が高いことに関係しています。さらに、温帯のほうが公衆衛生上の負担を下げられることにもつながります。

北米は全体が温帯に入りますが、南米における温帯はチリの南部、アルゼンチン、ウルグアイなど、ごく一部に限られるのです。これらの温帯の国々は、ラテンアメリカで最も裕福です。ブラジルで特に裕福な地域も温帯に位置しています。

第二の要因は、欧州から南北アメリカへの航路距離の違いに由来する歴史的なもの。イギリスから船で北米に行くほうが近かったのです。これに比べると、スペインからアルゼンチンは遠く、また、スペインからペルーまではホーン岬をまわって行かなければなりませんでした。

そして、イギリスから北米へ船で行く場合も距離が短かったので、産業革命の発想や技術は北米に迅速に伝わったのです。これにくらべると、産業革命がスペインから南米に広まるのには時間がかかりました。

もう一つの要因は、スペイン政府のレガシーと英国政府のレガシーの違いです。なぜ民主主義がスペインではなくイギリスで発展したのか。これについてはいろいろな議論ができるかと思いますが、民主主義がスペインではなくイギリスで発展した事実は変わりません。

北米はイギリス流の政治と民主主義を引き継ぎ、ラテンアメリカはスペイン流の中央集権主義と絶対王政の伝統を引き継いだのです。

それからアメリカの独立が、南米諸国の独立よりも激しいものだったことも付け加えられます。アメリカで起きた独立戦争の後、国内のイギリス派は逃亡するか、殺されるかのどちらかでした。そういった意味で、アメリカはイギリスときっぱり分離できたのです。

カナダはそこまできっぱりした分離がなく、ラテンアメリカ諸国もスペインときっぱり分離できず、分離ももっと後の時代で起きました。

フランシス・フクヤマ
ポピュリズムと「歴史の終わり」

「今回のパンデミックが明らかにするのは強力な国家への欲求です」

Photo : Leonardo Cendamo/Getty Images

Francis Fukuyama : « Cette pandémie révèle le besoin d'un État fort » Le Point 20/4/9
フランシス・フクヤマ「今回のパンデミックは強力な国家への欲求を明らかにする」(COURRIER JAPON 20/4/25)

Francis Fukuyama　１９５２年、アメリカ・シカゴ生まれ。父は日系二世、母は日本人。アメリカの政治学者。アメリカ国務省政策企画部次長、ワシントンD.C.のランド研究所顧問、ジョンズ・ホプキンズ大学教授を経て、スタンフォード大学フリーマン・スポグリ国際研究所オリヴィエ・ノメリニ上級研究員、同大学民主主義・開発・法の支配センター・モスバッカー・センター長。１９９２年に発表した『歴史の終わり』（三笠書房）では、自由民主主義が人類の究極の理想であり、人類の発展の最終形態であるとして、反響を呼んだ。また、２００６年に発表した『アメリカの終わり』などで、アメリカのイラク戦争を批判したことでも知られる。他に『政治の起源』『政治の衰退』（いずれも講談社）など。

フランシス・フクヤマは日系二世の父と日本人の母を持つアメリカの政治学者だ。主著『歴史の終わり』で、ソビエト連邦崩壊を民主主義や自由経済の勝利と位置づけ、今後は共産主義かリベラルな民主主義かといったイデオロギー闘争はもうおこなわれない、その意味で「歴史は終わった」と宣言し、大きな注目を集めた。

そのフクヤマが、仏誌「ル・ポワン」のインタビューに答え、新型コロナウイルス感染症（COVID-19）と民主主義、国家について語った。

コロナ対応に苦戦するポピュリズム政治

——あなたは、ベルリンの壁崩壊後はリベラルな民主主義が勝利するとの判断を下しました。民主主義がウイルスにうまく対処できていない現在、何が起きているのでしょうか。

フクヤマ　政治体制とパンデミック対応の質とのあいだには、相関関係はないと思います。中国だけは例外で、上手く対処できたかのように見えますが、発表された数字には疑念が残りますし、ウイルスが領土外に拡散するのを放置しました。

民主主義体制の国のなかでも、韓国、ドイツ、北欧諸国などは上手く対処できていますが、イタリア、スペイン、フランスなどは上手くいっていません。

相関関係を見出すとすればむしろ、ドナルド・トランプのアメリカ合衆国、ボルソナロのブラジル、ロペス・オブラドルのメキシコ、オルバーンのハンガリーなど、ポピュリストの指導者に率いられたポピュリスト国家が、対応に非常に手間取っているということです。

というのも、これらの国家はパンデミックを否認し、支配者の人気を維持するためにパンデミックを矮小化しているからです。彼らは、必要な措置を取ることを拒絶し、自らの国を大惨事へ導いています。ベラルーシやロシアのような強権的体制も深刻な被害を受けつつあります。

――西欧を弱体化させる敵が感染症であったことに驚いていますか。

フクヤマ　驚きではありません。むしろこれは、いつ起きるかはわからないけれども、それが起こることは予測されているような、偶発的な出来事だと思います。

この種の出来事は、気候変動と比較できるかもしれません。気候変動のリズムはもっとゆっくりではありますが。

各国は、こうした出来事が私たちの限界の一部を示していることを知ってはいても、それに手をつけるにあたっては大きな困難を経験することになるでしょう。

――パンデミック対応の明暗を分けたのは、国家の力なのでしょうか。

フクヤマ　たしかに、それは重要な点です。すべては公衆衛生と緊急事態に関わる対策を取る国家の能力次第なのですが、それはまた、国家や指導者、その賢明さに人びとが寄せる信頼次第でもあります。

そこで問題は、なぜある民主主義国家は迅速で効率的であるのに、ほかはそうではないのか、ということになります。強い国家を持っている国かどうか、いかなるかたちであれ効果的な保健政策を持っている国かどうかの間で、確かな分割線を引くことができるでしょう。
インド亜大陸やアフリカのように、国家の弱い国、こうした保健政策を持たない国は、大きな被害を受けることになるでしょう。

中国の政治体制は民主主義に代わるモデルになり得るか

――その対策に疑念が残るとしても、中国がリベラルな民主主義に代わる真のモデルとして再び認められることはないのでしょうか。

フクヤマ　最も成功しているのは非民主主義的なモデルです。つまり計画経済と資本主義のようなものの混合体です。

民主主義として語ることはできないとしても、中国は少なくとも市民に提供される援助――市民の幸福とは言わずとも――に責任を負う、一つの国家です。

中国という国家の長い歴史を忘れないようにしましょう。その伝統は、日本や韓国などの隣国に、さまざまな度合いで残っています。

しかしながら、それはコピーされ、たとえば強権国家の伝統がない南アメリカなどのアジア外の国へと輸出されるべきモデルではありません。

中国のような独裁的な体制は、緊急事態への対応に上手く備えることができます。しかし韓国などのような国は、それほど強制的な手段に訴える必要もなく、同様に良い結果を得ることができました。それゆえ、このことが中国の体制の優位性を証明するわけではありません。

コロナがもたらす脱グローバル化の未来とは

——私たちは突然の脱グローバル化を体験しています。それについてどのような未来を予想しますか。

フクヤマ　パンデミック以前にグローバリゼーションは限界に達しており、人びとはそれにブレーキをかけることを考えていました。パンデミックはこの考えを加速させるでしょう。

多くの企業が合理化のために世界各地に分散した供給網を見直すことになるとしても、経済界全体がその事業を自国に引き揚げ、自給自足へと回帰すると考えるのは馬鹿げたことです。

世界が50年前の発展レベルに後退するとは考えられません。脱グローバル化が起こる可能性が高いとしても、それは程度の問題にすぎないでしょう。

——ジョゼフ・スティグリッツは最近「新自由主義の終わりと歴史の再生」というタイト

ルの論文をアメリカで発表しました。あなたも新自由主義システムの凋落を認めますか。

フクヤマ　この論文でスティグリッツは、私の著作『歴史の終わり』をつねに論拠にして私を新自由主義者のひとりとみなし、攻撃してきました。

しかし、私があるシステム――この場合は国家を主要な敵として名指ししてきた自由主義のシステムですが――の優位を述べたからといって、そのシステムと共通の価値観を持っていたということにはなりません。

反対に、こんにち私たちは新自由主義の副産物を目にしているのであり、それは既に死に絶え、私たちは１９５０年代や１９６０年代にあったような自由主義に回帰しようとしているのだと思います。

そこでは、市場経済と私有財産の尊重が強力な国家と共存し、国家は社会経済的な不平等を解消すべく介入していました。くりかえしますが、今回のパンデミックが明らかにするのは強力な国家への欲求です。

――あなたの著作のタイトルである『歴史の終わり』の反対は、新たな歴史の誕生でしょうか。

フクヤマ　慎重であるべきです。より強権的な体制の誘惑に負けて、自由主義モデルを刺《いら》草《くさ》のなかに投げ捨てはしないでしょうが、ともかく、自由主義、社会保障、そして国家介入のバランスの修正は必要です。

ポピュリズムの台頭は「歴史の終わり」の証拠

――あなたの著作のタイトルに含まれている「最後の人間」（註：邦訳『歴史の終わり』の原著のタイトルは『歴史の終わりと最後の人間』）はニーチェを、そして「力への意志」を持ち得ないニヒリズムの人間を参照しています。そのような人間は倦怠と安全な幸福に埋没します。私たちはそのような世界に生きているのでしょうか。

フクヤマ　そのことは特に、ポピュリストの体制ないし、ポピュリストの誘惑が現れている欧米の社会にあてはまります。ポピュリストは民衆に対し現状維持を約束します。彼らの重要な関心事や、地位と承認を得るための闘争について、ほとんど心配させないようにします。

私に言わせると、こうしたポピュリズムは、私たちが「歴史の終わり」を生きていることの補足的な証明なのです。というのも、ポピュリズムは、ナショナリズムやファシズムといった過去に存在した思想を、控えめなかたちでリサイクルしているからです。しかしこうしたリサイクルは社会民主主義もおこなっていることですが……。

――フランスではマスクは不足しています。アメリカ合衆国ではどうでしょうか。

フクヤマ　同じ心配がありますが、もっとひどいと思われます。マスクや人工呼吸器の不足は1月から言われてきましたが、それらの生産を進めるための、いかなる決定もありませんでした。

国家が生き残るためには、まず専門家、公益に身を捧げる公正な人間、彼らに耳を傾け最終的に決定を下す指導者が必要だということが、これで証明されました。私たちの大統領はといえば、この2ヵ月の間、パンデミックは私たちとは無関係だと言い続けてきたのです。

コロナから得られる教訓とは

——現在の出来事から、いかなる教訓が引き出せますか。

フクヤマ　政治的な教訓です。アメリカ人として、私はドナルド・トランプのような大統領は信用できないということを主張します。

2016年の当選以前から、このナルシストで無知なペテン師は、事実や自明の理を無視しており、私たちは既に大きな不安をもっていましたが、私たちが経験しているこの危機こそが、この類いの指導者にとっての真の試金石なのです。

ところが彼は、私たちがこの危機を乗り越えるために必要な、集団の統合も信頼も作り出すことができませんでした。それにもかかわらず彼が11月に再選されるとしたら、アメリカ人はほんとうに大きな問題を抱えることになります。

ですが、もし誰か別の者が選ばれるとしたら、私たちは重要な教訓を覚えていたということになるでしょう。

第2章　不透明な世界経済の羅針盤

ジョゼフ・スティグリッツ
コロナ後の世界経済

「問題なのは、いちばん弱い立場にある人たちに支援を届ける能力が足りていないこと」

Photo : James Brickwood/Fairfax Media/Getty Images

Joseph Stiglitz : « Les Américains vont subir des pertes dévastatrices de revenus » Le Figaro 20/4/16
ジョゼフ・スティグリッツに聞く「世界経済の急速な回復は見込めますか？」(COURRIER JAPON 20/5/8)

Joseph Stiglitz　１９４３年、アメリカ・インディアナ州生まれ。経済学者。クリントン政権時代の大統領経済諮問委員会の委員長、世界銀行のチーフエコノミストを務め、現在、コロンビア大学教授。２００１年、情報の非対称性という制約が市場経済にいかに影響を与えるかという「情報の経済学」でノーベル経済学賞を受賞。完全情報下の競争的市場を前提とする新古典派経済学の限界を明らかにした。世界金融危機を予言したことで知られる。主な著書に『スティグリッツ入門経済学』（東洋経済新報社）など。『世界を不幸にしたグローバリズムの正体』（徳間書店）は世界で１００万部を超えるベストセラー。

２００１年にノーベル経済学賞を受賞したジョゼフ・スティグリッツは、ロックダウン中のニューヨークの自宅で暮らしている。コロンビア大学での授業は、テレビ会議システムでおこなっているという。

周囲の静けさにびっくりしているということだが、ときおりその静けさを破って救急車のサイレンの音が響く。スティグリッツはこの危機をどう見ているのか？　フランスの日刊紙「フィガロ」が聞いた。

コロナ禍の経済対策の間違い

――これまでも深刻な危機は何度もありましたが、今回のパンデミックはこれまでと何が違うのですか。

スティグリッツ　たしかに過去にもパンデミックはあり、直近ではスペイン風邪（1918～1919年）がありました。ただ、スペイン風邪が大流行した頃の世界は、いまの世界とは大きく異なります。世界経済は1世紀前にくらべてはるかに複雑になっていますし、いまは世界全体が統合されているのです。

この危機の特徴は、需要と供給の両面で、まさに暴落状態だということです。政府は対策に乗り出し、アメリカ政府は2兆ドル（約215兆円。2020年5月時点）の財政出動を決めました。戦時をのぞけば、これはいまだかつてない規模の財政出動です。

――いまは戦時だと言う国家の指導者もいます。「戦争」という言葉を使うのは妥当ですか。

スティグリッツ　国内外のリソースを総動員しなければ、世界全体で〝反撃〟に出られません。その意味では、これは「戦争」です。

ただ、各国政府は戦争という言葉を使うわりには必ずしも行動がともなっていません。

ドナルド・トランプ米大統領は最高司令官の気分でいろいろ語っていますが、ほんとうに戦争だと思っているなら、自国の兵士を装備なしで最前線に送り込んではいけません。

アメリカには世界有数の生産能力があるはずであり、それは検査キットや人工呼吸器の製造にも言えるはずです。自分たちを守るためにその生産能力をフル稼働させるべきですが、それをしていないのが非常に気がかりです。トランプは民間からの徴発を拒否し、疫病と闘うのに必須なリソースをめぐって各州を競争させています。

——今回の危機に関して、トランプ政権の経済対策をどう評価していますか。

スティグリッツ　この危機の特徴は、公衆衛生と経済を分けて考えてはいけないことです。最終的に死者が何人になるのかを決めるのは公衆衛生面の対策ですが、その点においてトランプ政権は大失敗をしたと言えます。

トランプ政権下でホワイトハウスの疫病担当部局が解体され、CDC（アメリカ疾病予防管理センター）や別の感染症対策機関の予算が削減されました。トランプ政権は研究補助金の30％削減を求めましたが、議会がこれを承認しませんでした。緊急時に必要な物資の備蓄も怠っていました。

アメリカ政府はつい最近まで公衆衛生に回せるお金はないと言っていたのです。ところが危機が起きると、2兆ドルを出すのです。必要だと思えば、財源は見つかるわけです。

いまだにアメリカの共和党は病院の支援策に反対しています。人命より企業を救うことを重視するかのような姿勢には目を疑います。加えて、トランプは法人税や所得税の減税について言及するようになっています。そんなことをしても何の役にも立ちません。

問題なのは、いちばん弱い立場にある人たちに支援を届ける能力が足りていないことなのです。フランスやデンマークのほうが賃金労働者の生活を上手に支えている印象があります。

――アメリカの医療費は対GDP比で18％であり、OECD諸国では断トツの高さです。費用に対する効果はどれほどなのですか。

スティグリッツ　アメリカの民間医療制度は非常に非効率です。対GDP比で18％も支出していますが、そのかなりの部分が製薬会社と保険会社に行き、医療制度自体には向かわないからです。フランスとは異なり、誰もが利用できる社会保障制度がないので、医療費の助成を受けられないアメリカ人が数百万人います。

アメリカでは医療や平均寿命で激しい格差があるのです。アメリカ人の平均寿命が短くなっていることも忘れてはなりません。低所得層とアフリカ系アメリカ人が、ほかのアメリカ人とくらべて、新型コロナウイルス感染症（COVID-19）の被害を受ける割合が大きくなっています。

アメリカ経済は大打撃を受ける

――話を経済危機に戻しますが、急速な経済回復は見込めるのでしょうか。

スティグリッツ　回復はV字ではなく、U字になるはずです。ロックダウンも最初は2～3週間ですむと考えていましたが、それよりも長くなっています。加えてアメリカでは全国規模でロックダウンをしているわけではないので、ニューヨークの後に農村部で被害が出る可能性もあります。

失業者の数も、失業保険の申請件数（3週間で約1700万人）より多いはずです。政府はお金を支給しようとしていますが、アメリカの家計は、壊滅的な収入の減少に見舞われることになるでしょう。この衝撃は、需要の減少というかたちで企業にも波及します。

新型コロナウイルスの今後がどうなるかがわからないので、各世帯は支出に慎重になり、お金を貯蓄に回すようになります。（個人消費が対GDP比で70％というアメリカで）消費が減り、それなりの期間、需要は回復しない見込みです。

――巨額の財政出動の結果、どの国でも債務残高が膨れ上がることになります。これは懸念すべきことでしょうか。

スティグリッツ　現時点では、さほど心配していません。利回りが低いので、返せるはずです。ドイツがやったような債務上限規定の停止は、いい決断でした。アメリカでは債務残高が10％増えます。財政赤字は対GDP比で15～20％です。

しかし、1年後なのか、2年後なのかはわかりませんが、このパンデミックからほんとうに抜け出したとき、消費意欲が戻ってくると想定できます。そのとき、物価上昇の圧力がかかる可能性があります。このときのお金の流れをうまく利用して大きな政治課題に取り組むべきです。

富裕層に税をかけて格差を解消したり、炭素税を導入して環境問題に取り組んだりできるはずです。

――巨大IT企業が市場支配力を使って競争を阻害していると批判されています。GAFAはこの危機を通して、さらに力を伸ばすのでしょうか。

スティグリッツ　これらの企業は広告収入で成り立っているので、短期的には、その力が弱まる可能性があります。アメリカの大統領選で、民主党の候補が勝てば、この業界の規制に動くはずです。民主党は、GAFAの市場支配力とデータの独占利用に強い懸念を抱いているからです。

一方、共和党の候補が勝った場合、グーグルやフェイスブックの力はいまよりも強くなるでしょう。これらの会社はAIとデータを扱うことができ、その知識が感染症の動向を追跡するのに必要だからです。

この問題に関する議論はこれから激しくなるはずです。私はＧＡＦＡが新型コロナ関連のフェイクニュースを減らすことができた事実に驚きました。これまでにもやろうと思えばできた、ということですからね。

ナシーム・ニコラス・タレブ
「反脆弱性」が成長を助ける

「極端なリスクにはパラノイア的に警戒し、有益な小さなリスクを取るのです」

Photo : Jerome Favre/Bloomberg/Getty Images

Nassim Nicholas Taleb : « Les institutions devraient avoir une date d'expiration » Le Point 20/8/29
〝知の巨人〟タレブがわかりやすく解説——不確実性や無秩序を力に変える「反脆弱性」とは（COURRIER JAPON 20/10/2）

Nassim Nicholas Taleb　1960年、レバノン出身。米ペンシルベニア大学ウォートン・スクールMBA、パリ大学Ph.D。ニューヨークとロンドンで20年以上数理系トレーダーとして活動した後、金融界を離れて研究と文筆活動に転じ、米マサチューセッツ大学アマースト校教授などを務める。哲学、数学、脳科学、ファイナンス、社会科学などの知見をもとに学際的な立場から不確実性の問題に取り組む。予期せぬ破壊的できごとが起こったときに大きなインパクトをもたらす仕組みを明かした『ブラック・スワン』、予期しないできごとへの方策を示した『反脆弱性』（いずれもダイヤモンド社）は世界的ベストセラーとなった。

『ブラック・スワン』でリーマン・ショックを予言したナシーム・ニコラス・タレブ。そのタレブが、巨大で予期せぬ衝撃に耐える力として提唱するのが「反脆弱性」というコンセプトだ。その力について、タレブ本人が仏誌のインタビューに答え、わかりやすく解説した。

「反脆弱性」は無秩序を歓迎する

――あなたが提唱する「反脆弱性」という用語は現在、物理学、生物学、都市計画、金融、医学、心理学、さらには哲学の分野の学術論文で数千回引用されています。金融からバスケットボールまで、「反脆弱性」に関して10冊以上の本が書かれています。この現象をどう説明されますか？

タレブ　一定の限度を超えないのであれば、無秩序にも利点があります。私はトレーダーですので、「一群の無秩序（無秩序のクラスター）」から利益を得る金融取引を専門としています。無秩序とは具体的には、コロナ初期に我々が目にしたボラティリティ（価格変動の激しさ）やショック、危機、変動性、パニックといった現象です。

もし脆弱性を「無秩序を嫌うもの」と定義するのであれば、その対極にある「反脆弱性」についても正確な定義をすることができます。

ペルシャ語からモンゴル語まであらゆる言語で検索しましたが、この概念を表す言葉が見つかりませんでした。だから、「反脆弱性」という言葉を自分で考案しました。

この性質は金融以外にも広がっているに違いないと感じていましたが、数学的に「脆弱性」を定義したときに、それを確認することができました。それで専業トレーダーをやめて最初にやったことが、この「脆弱性」の形式化に着手することでした。

――「反脆弱性」が好むものには、どんなものがありますか？

タレブ　ボラティリティ、ショック、危機、変動性、パニックのほかに、誤差と時間も加えることができます。私はこのうち一つを好きな人は、全部を好きになるということを発見しました。

たとえばこのコーヒーカップは、こうしたものをすべて嫌っていて、平和と静けさを好みます。コーヒーカップが時間を嫌うのは、時が経つといずれ割れてしまうからです。

とはいえ、無秩序を好み、しかもそれを必要とするものもあります。無秩序がなければ、「脆弱」になるものの場合です。

——いくつか例を挙げていただけますか？

タレブ　簡単な例を挙げると、もし体をストレス要因にまったく晒さないでおくと、弱って年齢よりも早く老化してしまいます。あらゆる組織はストレス要因を通して、環境とつながりあっています。ダンベルで鍛えれば、体は強くなるのです。

経済学者は、経済もまた組織的なものであり、小さな衝撃を必要としていることをほとんど理解していません。森の中で小さな火事が起こらないようにすると、その間に燃えやすい物質が堆積し、将来、大火事が起こったときに、被害が大きくなってしまいます。

金融の過度の安定によって小さな不況が起こらなくなると、「業績の悪い」企業が再編される機会が失われてしまいます。この状況は脆弱性を高めることになります。加えて、収益が安定しすぎている企業も改善がなく、倒産する傾向があります。何らかの限定的なショックが必要なのです。

――「限定的」というと？

タレブ　金融界の外では、無制限の無秩序を好むものはありません。私たちが必要とするストレス要因の度合いはさまざまです。多すぎても少なすぎてもいけません。

たとえば、2年もベッドで横になっていたら、骨が弱くなってしまいます。背中に体重をかけると強くなりますが、体重をかけすぎると体は壊れてしまいます。50センチ跳べば体を鍛えられますが、5メートルの高さから飛び降りれば死んでしまいます。

「反脆弱性」のない大企業は倒産する

――では、この仕組みをどうやって組織に取り入れたらいいのでしょう？

タレブ　「小さいことは美しい」という価値観を通してです。ある水準を超えると、大きいものは脆弱になり、衝撃に耐えられなくなります。ゾウはネズミよりも脆弱です。ゾウはネズミより長生きしますが、より絶滅の危機にさらされています。

たとえば、英国の政府系プロジェクトで費用超過となるケースは、1億ユーロ（約120億円）の大規模プロジェクトでは平均30％であるのに対し、500万ユーロ（約6億円）

のプロジェクトではもっと少ないという研究があります。

大企業は政府の支援がなければ、規模に見合うリターンがなく、破産します。生き残っている企業はたいてい中小企業です。ミッテルスタンド（中小企業ネットワーク）を擁するドイツの経済的成功がそれを証明しています。

――では大企業はすべて倒産するというのですか？

タレブ　いや、どんな会社にも理想の規模があるということです。レストランの経営者はテーブルを50台所有するのも多すぎると感じるでしょうが、自動車メーカーにとっては3万人の雇用でもまだ足りなく思うでしょう。

――「反脆弱性」と「ブラック・スワン（黒い白鳥）」（註：予測できないできごとが起こったときに、大きなインパクトをもたらすこと。またいったんそれが起こってしまうともっともらしい説明がなされることを指す）はどのように関係しているのですか？

タレブ　「反脆弱性」のあるものは、「ブラック・スワン」と呼ばれる巨大で予期せぬ衝撃に、うまく持ちこたえることができます。私たちの成長を助け、強くしてくれる小さなリスクと、身を守らなければならない巨大で極端なリスクを区別する必要があります。極端なリスクにはパラノイア的に警戒し、有益な小さなリスクを取るのです。それなのに、現代の官僚主義はその逆に誘導します。

組織には「有効期限」が必要

――現在『プリンキピア・ポリティカ（政治原則）』という本をご執筆されているそうですが、あなたが最も大切にしている政治理念は何ですか？

タレブ　「規模の変容」です。「反脆弱性」の背後にある考え方であり、政治経済にもあてはまるものです。大都市圏は単に「巨大化した村落」なのではありません。大都市圏は不確実な衝撃に対し、村落よりも脆弱になっています。

社会主義はイスラエルのキブツのような小規模共同体では機能しますが、巨大な中央集権国家では機能しません。規模を変える際には、個人個人の行動をただ足し算するだけではなく、それらの間の相互作用も考慮に入れなければなりません。全体は単なる部分の合計以上のものになるからです。

私が大切にしているもう一つの理念は、あらゆる機関には、有効期限が必要だというものです。これは、「反脆弱性」を獲得するためです。

――何ですって？

タレブ　企業にも市場が決める有効期限があるのです。省庁や大学などすべての機関に、存在がほんとうに必要かどうか評価する期日を設けてみてはどうでしょう。

必要だとわかれば、次の期日をまた設けます。問題は、これらの機関は自らの「生命を危険にさらす」ことがなく、ミスをしても生き残れることです。飲食店ならば、経営ミスや過ちによる倒産のリスクがあるのにです。

感染症専門家はリスク測定の方法を知らない

――あなたは新型コロナウイルス感染症（COVID-19）がもたらす危機性について、世界にむけて最初に警告を発した思想家のひとりでしたね。

タレブ　1月末、私が所属する団体が、ウイルス流行の危険性を警告するメモを発表しました（註：ニューイングランド複雑系研究所〈ＮＥＣＳＩ〉「新規病原体を介したパンデミックのシステミック・リスク――コロナウイルス」）。『ブラック・スワン』のなかでも、相互のつながりが増した現代社会では、伝染病は増加するに違いないと説明しました。そして、いわゆる「乗算的感染流行」現象に関する、専門家の理解不足を指摘しました。それぞれの患者が他の患者に感染させると、ウイルス汚染は指数関数的に増加します。

　この非直感的な現象は、年間の交通事故数のように直線的に増加する、いわゆる「加法的現象」とは大きく異なります。言い換えれば、コロナウイルスをプールへの落下や事故にたとえることはできません、なぜなら伝染性がないからです。

偉大な数学者ブノワ・マンデルブロによれば、伝染病は「ファット・テール分布」（註：極端な変動を示す分布）に分類されるとのことでした。こうした現象は統計学的にはたしかに稀ですが、それらが発生した場合、極端な現象となります――『ブラック・スワン』で示した金融危機のように。新型コロナウイルスが登場して、マンデルブロの直感が正しかったことがわかりました。

――あなたは、スタンフォード大学医学部のジョン・イオアニディスとイギリスで新型コロナ対策顧問を務めていたニール・ファーガソンという世界で最も有名になった疫学者を激しく批判しました。

タレブ　感染症を理解するのに重要なのは、一部の地域での病気の性質ではなく、感染の極端な事象に関する統計的特性です。これは、リスクを測定するときに使われる手法です。

疫学はこれを無視しているために、大きな後れをとっています。同じことが心理学的研究にも当てはまる。パンデミックの初期に、パニックに陥ることは「非合理的だ」と言っていた心理学者を見てみてください。そのころ、あなたのおばあさんは、警戒しなければいけないと理解していました。

ファーガソン（自身が提唱したロックダウン〈都市封鎖〉中に自宅に女性を招き入れたことが発覚し、辞任に追い込まれた）は、この感染症による潜在的な死者数の推計を試み、結果を発表しました。ところが、一つの感染症で1000人以上の死者が出るような場合には、予測は無意味です。原因を根絶するしかないのです。

イオアニディスは、多くの人びとと同様に、コロナウイルスを交通事故にたとえました。ばかげています。これが確率をほんとうには理解することなく、確率に基づく研究をする専門家たちの問題です。

——あなたは、自分と意見を異にする知識人を躊躇なく直接攻撃します。どうしてですか？

タレブ　私は大学ではなく、トレーダーとしての仕事のなかで確率や統計学を学びました。現場では間違った理論を用いれば、長期的には必ず破産してしまいます。そのせいで、疑似科学的なアカデミズムのたわごとや、厳密さの欠如ががまんできなくなったのです。

私が「インテリだがバカ」と呼んでいる人たちのなかで、特に私をイライラさせるのは、人びとに生き方を教えたがる、彼らの父権主義的な傾向です。彼らは「反脆弱性」を理解していません。

エフゲニー・モロゾフ
ITソリューションの正体

「どのような制度があれば、デジタル・テクノロジーがもたらす新しい協働のかたちやイノベーションをうまく活かせるのか」

Photo : Michael Gottschalk/Photothek/Getty Images

Evgeny Morozov : « The tech 'solutions' for coronavirus take the surveillance state to the next level » THE GUARDIAN 20/4/15
「パンデミックを〝IT政策〟で乗り切る」のは大間違いです——エフゲニー・モロゾフ「ソリューショニズムが人間の想像力を弱らせる」(COURRIER JAPON 20/5/2)

Evgeny Morozov　１９８４年、ベラルーシ生まれ。ジャーナリスト、テクノロジー評論家。「技術革新が人びとに自由と民主主義をもたらす」という考え方を強く批判する。著書に、インターネットが自由をもたらしたのは幻想だとする『*The Net Delusion: The Dark Side of Internet Freedom*』、テクノロジーですべてを解決しようとするソリューショニズム（解決主義）についてまとめた『*To save everything, click here: The Folly of Technological Solutionism*』など。

新型コロナウイルス感染症（COVID-19）の危機を乗り越えるため、これまで以上に、「ITソリューション」に大きな注目が集まっている。だが、一見して便利な対策が〝希望の未来〟ではなく〝最悪の事態〟へと繋がりかねない。「コロナとIT対策の盲点」について、〝インターネット界の異端児〟ことテクノロジー評論家のエフゲニー・モロゾフが、警鐘を鳴らす。

たったの数週間で、新型コロナウイルス感染症（COVID-19）が世界経済を急停止させ、資本主義が集中治療室に運び込まれた。

この状況を見て、今後はもっと人間的な経済システムが登場するだろうと、希望的に語る論客も多い。だが一方で、パンデミックの先に待つのは「テクノ全体主義的な監視国家」という暗い未来だと、警告する人も少なくない。

しかし、これからの世界を見通すために、ジョージ・オーウェルの小説『一九八四年』をガイドとして借用するのは、あまりに時代遅れで紋切り型すぎるだろう。今日の資本主義は、批判的な人びとが想像しているよりも、はるかに強くて、はるかに複雑怪奇なものだ。

資本主義は、数多くの問題を引き起こし、それをお金儲けの新しいチャンスへと変えてしまう。それだけではない。問題を引き起こすたびに、資本主義の正当性は高まるのだ。なぜなら、そういった問題が起きると、私たちはビル・ゲイツやイーロン・マスクなどの大資本家に救済を求めなければならないためだ。危機が深刻であればあるほど、資本主義擁護の言い分が強くなる。どう見ても、いまは資本主義の終わりそうな状況ではない。

台頭する「ソリューショニズム」という思想

新型コロナウイルスの流行によって、これまで資本主義を批判してきた人びとの警告が正しかったと示されたのは、間違いない。

「民営化」と「規制緩和」を教養とする「ネオリベラリズム（新自由主義）」の破綻は明らかだ。病院が営利事業として運営された結果、何が起きたのか。緊縮財政で公共サービスを削減した結果、何が起きたのか。見ればわかるだろう。

ただし、ネオリベラリズムだけが、資本主義を生かし続けているわけではない。ネオリベラリズムは言ってみれば、「良い警官・悪い警官」戦術の悪い警官役だ。「ほかに道はないのです」というマーガレット・サッチャー元英首相の名ゼリフをくりかえし言いつづけるのが、その役割だ。

一方、このドラマのなかで良い警官役を演じるのが「ソリューショニズム」だ。これはもともと、シリコンバレーで生まれたイデオロギーで、いまでは国のエリート層の思考法にも影響力を持つ。

ごく単純に言えば、「ほかの選択肢も時間も財源もないから、社会の傷にはデジタルの絆創膏を貼ることくらいしかできない」と考える思想だ。

ソリューショニズムの信者は、テクノロジーを使えば、政治に首を突っ込まなくてすむと考える人びとだ。「イデオロギーを超克した」政策を推進し、グローバル資本主義の車輪を回し続けることに精を出している。

数十年間、ネオリベラリズムが標準だった政策立案の世界でも、いまはソリューショニズムが標準になっている。

たとえば公共交通システムがボロボロになっていたとしても、政府はそこに投資しようとしない。ビッグデータを使って利用客ごとにパーソナライズしたインセンティブを与え、ピーク時の利用を減らせばいいだろう、といった発想になっている。

シカゴでそんな政策を実施したことのある人物が、数年前にこう語った。

「新しい交通手段を整備するといった〈供給サイド〉の問題解決策には、お金がかなりかかります。代わりにデータを駆使して、〈需要サイド〉を管理するのです。最適な移動タイミングを、住民にわかりやすく伝えるのです」

ソリューショニズムが抱える問題点

ネオリベラリズムとソリューショニズムというこの二つのイデオロギーには、密接な関係がある。

ネオリベラリズムは、冷戦時代に描かれた設計図をもとに、世界をつくりかえようとしてきた。「競争」を増やし、「連帯」を減らす。創造的破壊を増やし、政府の計画を減らす。市場への依存を高め、福祉を減らす。共産主義が崩壊したおかげで、その作業ははかどった。

だが、そんなネオリベラリズムにとって、新たな壁となったのが、デジタル・テクノロジーの発達だった。

なぜ、デジタル・テクノロジーが、ネオリベラリズムにとって邪魔だったのか？

たしかに、ビッグデータやAIはそれ自体で市場経済に逆らうものではない。

だが、デジタル・テクノロジーには、「ネオリベラリズムを超克したあとの世界」を想像させやすくする力があった。それは生産工程が自動化され、テクノロジーによって万人が医療や教育を受けられる世界であり、富を分かち合い、誰も独り占めにしない世界だった。

そこで登場したのがソリューショニズムだ。

ネオリベラリズムが問題に先手を打つイデオロギーであるなら、ソリューショニズムは問題が起きてから手を打つイデオロギーだ。

ソリューショニズムが担うのは、ネオリベラリズムに代わる政治の選択肢が現れたら、その力を削ぎ、無効化し、廃棄処分すること。ネオリベラリズムが公共の予算を減らすのに対し、ソリューショニズムは公共の想像力を縮ませる。

ソリューショニズムは、ＩＴがありとあらゆる分野で破壊と革命を引き起こすのを是認するが、現代の暮らしの中心にある市場という制度だけには手をつけさせないのだ。

感染抑止のための2種類のソリューショニズム

世界はいま、ソリューショニズムのテクノロジーに夢中だ。

ポーランドでは、新型コロナウイルスに感染した疑いのある人が、スマホで自分を撮影して在宅証明するアプリが開発された。中国では、スマホで持ち主の健康状態を識別するプログラムが作られ、移動を追跡したり、外出の可否を判断したりするために使われている。

各国の政府は、アマゾンやパランティア・テクノロジーズといった企業に、インフラやデータモデリングを依頼している。グーグルとアップルは共同で、「プライバシーを保護する」データ追跡ソリューションの提供に取り組んでいる。

これから、各国が経済復旧の段階へと進むとき、IT企業は技術的な専門知識を喜んで貸してくれるに違いない。イタリアでも、危機後の対策を進める特別委員会のトップに、ボーダフォンの元CEOヴィットリオ・コラオが任命されている。

政府のパンデミック対策には、2種類のソリューショニズムがあることが見てとれる。

一つは「進歩的ソリューショニズム」。これはアプリを使って、正しい情報を適切なタイミングで知らせれば、人びとの行動を変え、公共の利益を損なわずにすむという考え方だ。いわゆる「ナッジ」の論理だ。イギリスが今回の危機で最悪の初期対応をしてしまった原因となった。

それに対して「懲罰的ソリューショニズム」というものもある。こちらはデジタル資本主義の巨大監視インフラを使って、私たちの日々の活動を制限し、それに背く人には罰則を加えるというものだ。

失われていく「公共の想像力」

この1ヵ月間、こうした技術がプライバシーを侵害するかどうか、さかんに議論された。だが、民主主義にとって最大の脅威は、じつはプライバシーの問題ではない。

真に恐れるべきは、今回の危機がきっかけで、ありとあらゆる問題にソリューショニズムのツールを使うのが標準となってしまうことだ。格差問題や気候変動の問題などにも、ITソリューションが使われることになりかねない。

ソリューショニズムのテクノロジーを使って個人の行動に影響を与えるほうが、難しい政治問題と格闘しながら危機の原因を取り除くより、はるかに楽だという側面もある。

しかし、今回の災禍にソリューショニズムで対応していけば、公共の想像力はますます縮むことになるだろう。「巨大IT企業が社会と政治のインフラを支配していない世界」

を想像するのが、よりいっそう難しくなるのだ。

いまや、私たちはもはやすでにソリューショニズムの信者だ。自分の命が危険にさらされているとき、政治が約束する抽象的な〝人びとを問題から解放する話〟より、いつ外出すれば安全なのかを知らせてくれるアプリのほうが、安心できるからだろう。

いま問うべきなのは、私たちがこれから先もソリューショニズムの信者であり続けたいかどうか、ということだ。

「問い」を誤ってはいけない

ソリューショニズムとネオリベラリズムが、危機に陥ってもすぐに復活できるのは、それを支える思想が優れているからではない。

この二つのイデオロギーが強いのは、すでに政府などの制度がこの二つのイデオロギーに深く染まっているからだ。

最悪の事態が訪れるのはこれからだ。

9・11が監視国家をつくりあげたのと同様に、今回のパンデミックがきっかけでソリューショニズムの国家が強化されるのは間違いない。政治の空白につけこみ、「安全・安心」「イノベーション」といったお題目とともに、非民主主義的な慣習が持ち込まれるだろう。

ソリューショニズムの国家が果たす役割の一つは、新しい社会のかたちを模索しようとする、ソフトウェア開発者やハッカー、起業家のやる気を削ぐことだ。

スタートアップが未来のかたちを決めているように見えるとしたら、それは自然の理ではなく、政策の結果に過ぎない。

「市場原理」ではなく「連帯」にもとづいて、既存秩序を転覆するようなIT技術——そうしたものが、どれもプロトタイプの段階で頓挫してしまったのも政策の結果だ。この20年間、「ウィキペディア」のようなものが生まれなかったのは、これが原因なのだ。

ソリューショニズムに打ち克つための政治は、まず「スタートアップは動きが速いのに対し、国家は非効率だ」という作為的な二項対立を叩き壊すことから始まるだろう。この二項対立のせいで、政治が本来できることにも制限がかかってしまっているのだ。

問うべきは、——「社会民主主義か、それともネオリベラリズムか」というように——どのイデオロギーが、競争がもたらす力をうまく活かせるのかということではない。

問うべきなのは、どのような制度があれば、デジタル・テクノロジーがもたらす新しい協働のかたちやイノベーションをうまく活かせるのか、ということなのだ。

コロナ対策にITをどう使うべきなのか

新型コロナウイルス感染症対策として、ITをどう使うのが適切なのだろうか。いま繰り広げられている議論が窮屈に感じられるのは、ソリューショニズムを乗り越えた政治が視野に入っていないせいだ。

いまの議論では、「プライバシーと公衆衛生のトレードオフ」や「スタートアップがイノベーションを促進する」といった話しか出てこない。どうしてほかの選択肢が出てこないのだろうか？

それはデジタル・プラットフォームや通信会社が、私たちのデジタル世界を彼らの領地に変えてしまったせいではないだろうか。

彼らの関心はただ一つ、マイクロターゲティングを続け、マイクロペイメント（少額決済）が流れ込みつづけるようにすることだけだ。だから、消費者に還元できない人間の行動を、匿名で集合的にとらえたマクロの知見――そうしたものを得るデジタル・テクノロジーが作られていない。

いまのデジタル・プラットフォームは、個人化された消費者のためのサイトだ。互いに助け合う「連帯」のためのプラットフォームではない。

求められるのは「政治秩序の基盤」

いまのデジタル・プラットフォームは、市場取引以外にも使えるとはいえ、万人に開かれた政治秩序の基盤としては貧弱だ。消費者とスタートアップと起業家にしか使い勝手がよくないのだ。

民主主義の文化が花咲くようなデジタル・プラットフォームが出てこないかぎり、私たちはこれから数十年間、進歩的ソリューショニズムと懲罰的ソリューショニズムの二者択一という不幸な状況にとどまることになる。

そうなれば民主主義も打撃を受けることになるだろう。

新型コロナウイルスの流行で、いまソリューショニズムは花の盛りにある。

この状況を見れば、テクノロジー・プラットフォームという非民主主義的な方法で権力を行使する民間企業に対し、民主主義国家が極端なまでに依存している実態がわかるだろう。

私たちが真っ先にすべきなのは、ソリューショニズムを乗り越えていく道を描き出すことだ。それは「公」がデジタル・プラットフォームに対して主権を持つことにほかならない。

そうしないかぎり、中国の効果的だが権威的なコロナ対応を批判しても、単に憐れまれるだけで、偽善的ですらある。

　未来のテクノ権威主義体制には、複数のタイプがある。ネオリベラリズム版のテクノ権威主義体制が、他の選択肢よりも魅力的というわけでは、決してないのだ。

ナオミ・クライン
スクリーン・ニューディールは問題を解決しない

「私たちはどうすればスローダウンできるのか」

Photo : Carsten Koall/Getty Images

Naomi Klein : « We must not return to the pre-Covid status quo, only worse » THE GUARDIAN 20/7/13
ナオミ・クラインが警鐘「コロナ前のスピード社会に戻るべきではない」（COURRIER JAPON 20/8/13）

Naomi Klein　1970年、カナダ生まれ。ジャーナリスト、作家、活動家。企業を中心としたグローバリゼーションを問題にした『ブランドなんか、いらない』（はまの出版）、惨事に呆然とするタイミングを狙い経済改革を強行しようとする、イラク戦争後の資本主義を問い直した『ショック・ドクトリン――惨事便乗型資本主義の正体を暴く』、温暖化、気候変動をテーマにした『これがすべてを変える――資本主義 vs.気候変動』（いずれも岩波書店）など多くの話題作で知られる。

ジャーナリストのナオミ・クラインが、「スクリーン・ニューディール」の到来に警鐘を鳴らしている。シリコンバレーが新型コロナ危機に乗じて、リモート学習やオンライン診療などの非接触型テクノロジーを拡充。「人間をマシンに置き換える」構想を加速させているというのだ。

それよりもパンデミックの今こそ、「グリーン・ニューディール」（温暖化対策と格差是正を目的とした経済刺激策）に力を入れるべきだと訴えるクラインに、〝コロナ後の世界〟はどうあるべきなのか聞いた。

人の温もりを失い、監視が強化される

——先ごろ「スクリーン・ニューディール」について書かれたエッセイに、あるテック企業CEOの発言を引用していましたね。「人間は有害物質になるが、機械はそうならない」という言葉にゾッとしました。

クライン　シリコンバレーにはコロナのパンデミック以前から、人間の身体的経験のほとんどをテクノロジーの介在によって代替させる計画がありました。たとえば対面授業をバーチャル学習に、対面診療をリモート診療に、対面配達をロボット配達に置き換える構想があったのです。

それがコロナの感染拡大以降、「非接触型テクノロジー」という新しい呼び名が与えられました。コロナの時代の今、接触することが問題だというのがシリコンバレーの主張です。

しかし今、私たちが一番恋しいのは、この触れるという行為です。だからコロナといかに共生するか、その選択肢のメニューはもっと広げる必要があります。ワクチン開発はまだ先の話で、一般的に接種できるようになるのは数年先になるかもしれないのですから。

では、コロナとどう向き合っていけばよいのでしょうか？　コロナ以前の「日常」に戻ろうとしても、大幅な制約のなかで、そこにはもはやかつてのような人と人との関係はな

いでしょう。

教育についていえば、子供たちの学習すべてにテクノロジーを介在させるのか？　それとも人に投資していくのでしょうか？

ここで「スクリーン・ニューディール」に資金を注ぎ込んでも、生活の質を下げるようなやり方で問題を解決することにしかなりません。

それよりも、なぜ学校の先生を大量に雇用しようと思わないのでしょうか。クラスの生徒数を半分にして教員数を2倍にしたり、屋外で教える方法を考えないのでしょうか。

今の危機が示しているのは、「コロナ以前の日常」に戻る必要はないということです。コロナ以前に戻したところで、監視はますます強化され、スクリーン画面はますます増え、そして人と人との接触は希薄になるだけです。

アクセルを踏まず、スローダウンしよう

――そのような考え方をしている政府はありますか？

クライン　私が心強く思ったのは、ニュージーランドのジャシンダ・アーダーン首相が週4日労働を提案したときです。

ニュージーランドは観光収入に依存しているにもかかわらず、早くに国境を封鎖して、死亡率でみれば、おそらく最もうまくコロナに対処してきた国でしょう。そしてもはや以前のように観光客に門戸を開放することはできない。

そこで首相は、国民には働く時間を減らしてもらい、賃金は据え置き、余暇はレジャーなどで安全に自国を楽しんでもらったほうがいいと考えたのです。

私たちはどうすればスローダウンできるのか。最近の私はそのことについてばかり考えています。私たちが「日常に戻る」と書かれたアクセルを力まかせに踏み込むたびに、ウイルスも勢いを盛り返し、こう言っているような気がするのです。「もっとスピードを落とせ」と。

――スローダウンした今の生活を楽しんでいる人も大勢います。でもイギリス政府は猛烈な勢いで、以前の日常へ戻そう、戻そうとしています。レストランやパブも再開し、休暇には出かけましょうと必死に呼び掛けています。

クライン　非常におかしいですよね。大多数の国民は、まだ安全でもないのに仕事に戻ることや、子供たちを学校に通わせることに不安を募らせているのに。

ドナルド・トランプ米大統領とボリス・ジョンソン英首相のコロナ対応には類似点がいくつもあります。両者とも、男らしさを証明するテストか何かにすり替えている。自身がコロナウイルスに感染したジョンソンでさえそうです。

パンデミックがもたらした優しさと共感力

——アメリカでジョージ・フロイドの死を受けた反人種差別運動がなぜこれほどまで世界に拡大したのかに関するあなたの考察に興味を覚えました。

クライン　今回のような抗議運動はこれが最初というわけではありませんが、特異さがいくつかあったと思います。新型コロナの流行のさなかにおこなわれたということ、そのパンデミックがシカゴのような大都市圏のアフリカ系アメリカ人にもたらした衝撃の大きさです。ある統計では、アフリカ系アメリカ人の死亡率は70%にまで達しています。

それは彼らがリスクの高い仕事に就いているからなのか、コミュニティ内の環境汚染や医療差別などの昔からの問題があるからなのか。要因はいろいろ考えられますが、とにかく、私たちはウイルスの前に平等だ、この脅威に同じように立ち向かっているという前提が覆されました。

そうした黒人コミュニティが打撃を受けているなかで、アマード・オーブリー、ジョージ・フロイド、ブリオナ・テイラーなど一連の殺害事件が起きたのです。

でも今回の抗議運動がこれまでと違うのは、非黒人が大勢参加していることです。これは間違いなく新しい動きです。黒人に率いられた、さまざまな人種の人びとによるデモ。

なぜ今回だけ違うのでしょう?

いくつか思いつくことがあります。一つは、パンデミックが私たちの生活にもたらした「優しさ」です。これまであくせくしていた社会のスピードがゆっくりになれば、いろいろなことを感じられるようになる。他者との競争に明け暮れていると、他者に共感を覚える時間はほとんどありません。

そもそも流行が始まったときから、私たちはこのウイルスの出現によって相互依存や人間関係について再考を余儀なくされています。つまり、自分が手に触れるものすべてについて、「これは私が触れる前に誰が触れたのだろう?」と思わずにはいられないのです。口にしている食べ物、届けられた小包、スーパーの棚に並んだ食品……。すべてについて、自分の前に触れた人のことを考えてしまいます。こうした人と人とのつながりは、資本主義の世界では考えなくてよいと教えられてきたことでもあります。

コロナ禍の今、私たちは相互につながっているという現実を意識せざるを得ないようになり、他者に対する優しさや共感力が以前よりも増しているのではないでしょうか。だから人種差別主義者による残虐行為について、自分には関係ない他人事だと言えなくなるのです。

——新著『地球が燃えている』(大月書店)の序文でこう書いていますね。「大惨事が訪れる前から悪かったものは、すべて堪え難いまでに悪化する」。素晴らしい一節だと思いました。

クライン　災禍に襲われるたびに、こんな言説がくりかえされます。「気候変動は万人に平等に降りかかってくる。コロナウイルスのパンデミックは万人に平等に降りかかってくる。私たちみんなが同じ災難に見舞われている」

でも、これは真実ではない。災禍は平等ではありません。それどころか、平時の問題をさらに悪化させるのです。

たとえばコロナ禍前からアマゾンの倉庫で働いていて体調を崩していた人、あるいはコロナ禍前から長期療養施設に入っていて粗野な扱いを受けていた人など。いずれも、パンデミックに見舞われる前からひどい状況に置かれていた人びとが、さらに堪え難いほどの苦しみを味わっているのです。平時から「使い捨てられる」立場にあった人たちが、いま「犠牲」を払わされている。

これらは目に見える暴力ですが、隠れた暴力、つまりドメスティック・バイオレンスの問題もあります。ストレスのたまった男性たちが矛先を向けるのが、妻と子供です。

ロックダウンで四六時中、家族と向き合っていると、たいへんなストレスになります。どんなにうまくいっている家庭でも、少しは距離をとる必要があるのですが、それができない状態が続きました。加えて、解雇や経済的圧迫など、女性にとって今は非常に悪い状況にあります。

グリーン・ニューディールは不況に強い

――昨年（2019年）は、グリーン・ニューディール政策とバーニー・サンダース上院議員の選挙運動に尽力していましたが、サンダースが大統領選から撤退した後、グリーン・ニューディールの実現可能性をどう考えましたか？

クライン　いくぶん、難しくなってきています。私にとって望ましかったのは、グリーン・ニューディールを政策の中心に据えている政治家が民主党の大統領候補になることでした。

この政策は、外野からの大規模な運動でプレッシャーをかけ、中にいる人がその声をしっかり受け止める。この相互作用があって初めて実現します。バーニーだったら、そのチャンスはあったと思います。

ジョー・バイデン候補の場合はバーニーより難しいと思いますが、不可能ではない。『地球が燃えている』の結びで、私はグリーン・ニューディールを支持する理由を10項目挙げて、なぜそれが気候変動に有効な切り札になるのかについてページを割いています。

その支持する理由の一つは、不況に強いことです。現状の気候変動対策には、景気が比較的好調なときにしか支持を得られないという問題があります。これは、政府が提示する気候変動対策はいずれも新自由主義的で、市場ベースの解決策だからです。たとえば気候税や再生可能エネルギーといった政策はエネルギー費用がかさみ、炭素税もガソリン価格の上昇を招きます。これだと、景気が悪くなった途端に、こうした政策への支持もたちまち離れていくのです。

2008年の金融危機の後、私たちはそのことを経験しました。気候変動はブルジョアの考えるべき問題、日々の食事に困らないご身分の人たちの問題――これが、大多数の受けとめ方なのです。

一方、グリーン・ニューディールの重要な点は、それが史上最大の経済危機のさなかに生まれた史上最大級の経済刺激策、すなわちFDR（フランクリン・ルーズベルト元米大統領）のニューディール政策をモデルにしているということです。

このため、約1年前に『地球が燃えている』を上梓したとき、かなり大きな反発を受けました。「景気が良いというのに、こんなグリーン・ニューディールのようなことはしない」とね。

つらい現実ではありますが、社会が大きな変化を遂げるのは大不況か戦争のときぐらいです。そして今、私たちはそのような急速な変化を成し遂げられる可能性を見ています。私たちにはチャンスがあるのです。

これは楽観論として言っているのではありません。そのような未来は簡単に得られるわけではなく、私たちは闘わなければならないからです。でも歴史的に大きな変革が起きた瞬間を振り返ってみれば、それは今のようなときに起こっているのです。

第３章　不平等を考える

ダニエル・コーエン
豊かさと幸福の条件

「人間が『技術の主人にして所有者』であるべき」

Photo : Alain DENANTES/Gamma-Rapho/Getty Images

ダニエル・コーエンインタビュー（COURRIER JAPONオリジナル）

Daniel Cohen　1953年、チュニジア生まれ。パリ高等師範学校経済学部長。トマ・ピケティらを指導したことでも知られる。著書に、資本主義の病理を解き明かした『迷走する資本主義』（新泉社）、人類初のグローバリゼーションから現在のグローバル経済まで、経済がいかに文明や社会を築き上げてきたかを描く『経済と人類の1万年史から、21世紀世界を考える』（作品社）、経済成長、進歩を見直した『経済成長という呪い』（東洋経済新報社）などがある。

ヒトは社会で生きることを切望する

――ご著書のなかで「幸福とは義理の兄弟より多く稼ぐことだ」という風刺的な一文を引用されています。なぜ人は幸福に関しては視野が狭くなりがちなのですか。

コーエン　人と人の間でしか生きられないのが人間の性《さが》ですからね。そのこと自体は何も恥じることではありません。これさえあれば絶対に幸せになれるといったものはないのです。もちろん食べるものや飲むものがなくて基本的な欲求が満たされていなければ幸せになれないかもしれません。しかし、基本的には、人の幸せとは周りとの関係から生まれます。

単純化してしまうと、ヒトは社会で生きることを尋常でないほど切望する動物なのです。そこがヒトがほかの動物と違うところです。ボノボにも社会性はありますが、ヒトはボノボとくらべても社会性が段違いです。人にとっての成功とは、何か絶対的な基準があるわけではなく、つねにほかの人と比較してのことなのです。

ですから、むしろ問うべきなのは、なぜ資本主義の世界では、このような他人と自分の比較が、お金という尺度だけに集中するのか、ということなのではないでしょうか。私が資本主義の世界に関して残念に思うのは、お金が人間関係においてこれほど大きな意味を持つようになってしまったことです。「幸福とは義理の兄弟より多く稼ぐことだ」と思えてしまう、そんな世界を作り出したのが、18世紀後半の西洋から発展していった資本主義であり、いまそれが世界全体に広まってしまったのは悲劇的です。

――経済成長と個人の幸福の間にはどんな関係があるのですか。

コーエン　いま言ったこととも関連しますが、人は豊かさの絶対量で幸福になったり、不幸になったりするわけではありません。現代のような資本主義の世界では、豊かさの絶対量ではなく、暮らしが豊かになっていく過程が幸福をもたらします。つまり経済成長が幸福をもたらすのです。そのため逆説的ですが、貧しくても経済が成長している国で暮らすほうが、それなりに豊かでも経済が停滞している国で暮らすより幸せだったりします。経済が停滞してしまうと、自分もいずれは豊かになれるという希望が持てなくなりますからね。将来への希望が持てなくなると、人は強い不満を覚え、生きづらさを感じるようになり、社会内の緊張が高まります。

「マルサスの法則」から「イースタリンの逆説」へ

——長い人類史をひもとくと、経済成長が1人当たりの富を増やした時代は産業革命以降の比較的短い時期に限られると指摘されています。これからは1人当たりの所得が増えない時代が来る可能性もあるのですか。

コーエン　そもそも1人当たりの所得が増えていくという意味での経済成長には200〜250年ほどの歴史しかありません。それ以前の世界は農業が中心であり、人が所得を増やすことはほとんどありませんでした。なぜかというと「マルサスの法則」が働いていたからです。ある社会が何らかの理由で、必要最低限以上のものを生産できるようになったとしても、それがすぐに人口の増加をもたらしたので、結局、1人当たりの所得は増えなかったのです。

言ってみれば1人当たりの所得が上がらないようにする万有引力の法則が働いていて、人類は何千年もその力に支配されていたようなものです。そのマルサスの法則に縛られていることを人類が何千年も理解できていなかったのは、考えてみるとゾッとする話ですよね。産業革命で経済が大きく変わったので、いまのところ人類はマルサスの法則から逃れられています。しかし、地球温暖化で、また人口が所得の水準に影響する時代、世界の有限性を考えなければならない時代になる可能性はあります。

興味深いのは、産業革命でマルサスの法則から逃れられたと思ったら、今度は人類が「イースタリンの逆説」（年間所得が増えても生活の満足度は上がらない）という別の法則に支配されるようになったことです。これはどういう法則かというと、さきほども述べましたが、豊かさだけでは人は幸福になれず、社会内の緊張を緩和させるには経済成長が必要だった、というものです。

マルサスの法則とイースタリンの逆説は、どちらも私たちの暮らし全体を支配する法則だったのに、私たちはいずれの法則も理解できていませんでした。農業が中心だった時代、人はマルサスの法則を理解できていませんでした。いまは経済成長が無駄だと言っても、それを認めようとしない人がほとんどです。経済成長こそ進歩だと信じきっているからです。でも、進歩の部分はほんの一部分に過ぎず、大部分は社会の疲弊やエネルギーの無駄遣いだという可能性もあるのです。

何千年もの間、人類の前には人口の問題が立ちはだかっていたわけですが、人類はその問題を理解できていませんでした。この２００〜２５０年ほど、人類がぶつかっている問題は、豊かさだけでは社会内の緊張を緩和できないというものなのですが、人類はその問題もしっかり理解できていないということなのかもしれません。

日本はアメリカと同じ罠にはまってしまった

——日本は戦後に高度経済成長があった後、「失われた20年」に入りました。日本経済の「失われた20年」が「失われた30年」になると考えますか。

コーエン　日本経済については「失われた20年」などの表現は大げさなのではないかというのが私の見方です。たしかに金融と不動産のバブルが崩壊した１９９０年代の経済危機は規模が大きかったです。ただ、あの経済危機で打ち砕かれたのは、日本が１９６０〜80年代の急ピッチの経済成長を無限に続けられると信じる慢心だったのではないでしょうか。あの頃、日本は経済成長で恒常的に世界平均を上回れる「賢者の石」を見つけたのだという幻想がありました。

じつはフランスも同じ幻想を抱いていた時期があります。１９５０〜70年代の「栄光の30年」と呼ばれる経済成長期です。あの頃のフランスでも高度経済成長を永遠に続ける方策が見つかったのだと信じられていました。

日本の場合、１９９０年代の危機は深刻でしたが、その後は経済成長が続いていて、いまも繁栄を続けています。「自分たちの国はどんな壁も乗り越えられる奇跡の国だ」という神話にも見切りをつけられたのではないでしょうか。ですから１９９０年代については「失われた10年」という表現は当てはまるかもしれませんが、それ以降は、日本が現実に戻ってきたというか、経済面での現実主義に戻ったということなのだと理解しています。

——日本社会は豊かになっても労働時間が大幅に減る様子がありません。なぜですか。

コーエン　日本社会はアメリカ社会と同じ罠にはまってしまい、経済成長の減速という問題を、もっと働くことで解決しようとするワーカホリック社会になっているのかもしれません。この問題は、もしかすると、経済成長を無限に続けられると考えるのをあきらめ、質素に暮らすことを受け入れ、それに合わせて経済の仕組みを変えていくほうが賢明な解決策な場合もあるかもしれません。

経済成長の減速が起きたときにアメリカが選んだ道は、とにかくもっと働こうというものでした。男性だけでなく、女性も働きはじめました。言うまでもなく女性が働くことには、女性の解放という側面もあるのでポジティブなことではあります。しかし、アメリカの場合、女性が働きだしたのは女性解放のためというよりは、家計を補うためだったのです。根本にあるのは「もっと働いて、もっと稼ごう」という発想でした。

もし日本社会全体が「もっと働いて、もっと稼ごう」という方針に納得しているのであれば、何も言うことはありません。気候変動で経済成長の性質が変わってしまう可能性もありますと言い添えるだけです。しかし、日本社会がほんとうはみんなで質素に暮らし、社会の緊張を緩和していくのが理想だと思っているのに、それができないので、もっと働くようになっているとしたら、残念ながら日本はアメリカと同じ罠にはまったということです。

ヨーロッパ諸国はバカンスや早めのリタイアへのこだわりがあるので、まだそこまでこの罠にははまっているわけではないのですが、それでもやはりこの20〜30年で「もっと働け」という圧力がずいぶんかかるようになってきています。

——中国経済の成長速度が落ちてきていますが、先進国にくらべるとまだ成長率は高いです。中国経済の成長はいつまで続きますか。

コーエン　いまの中国経済は、さきほど言った日本の1960〜80年代と似ています。中国経済は急ピッチで成長してきましたが、以前は10％だった成長率がいまは6％になり、これからはもっと下がっていきます。一般論ですが、国が豊かになればなるほど、経済を成長させるのは難しくなっていきます。ですから中国がこれから経済成長の減速という道を進むのは避けがたいと考えています。

中国経済にはまだ大きな潜在能力がありますが、輸出主導型の製造業モデルから内需主導型に切り替えなければならない時期にさしかかっています。この輸出主導型の製造業モデルというものも、もともとは日本が切り拓いたものですよね。中国やほかのアジア諸国は、日本を手本にして高度経済成長を実現しようとしてきたわけです。

20世紀の初めは貧しかったのに、戦争を経験しながら、20世紀中に豊かになれた国は、世界に日本しかありません。日本がそれをできたのは、世界市場に参入して経済成長をめざす道を選んだからでした。それに対し、内需主導型にこだわったラテンアメリカ諸国はうまくいきませんでした。いま中国経済は巨大になったので輸出主導型から内需主導型に移行しようとしています。これは非常に難しい転換になるはずです。

――中国の経済成長が止まったら何が起きますか。

コーエン 中国の経済成長が止まることは、これからかなり長い間ないでしょう。中国の平均的生活水準はまだ低いですからね。いま中国が直面しているのは、いわゆる「中所得国の罠」です。これは別に理論的な裏付けのある話ではないのですが、統計を見ると、1人当たりのGDPが1万ドルを超える頃から経済成長が難しくなるのです。もちろん日本や韓国などは、この1万ドルの壁を突破できましたが、そのような国はじつは少なく、アジアやアフリカの国の多くは、この壁をなかなか乗り越えられません。

いま中国はその壁の前に位置していますが、突破する力は充分にあるように思えます。ただ、中国の成長率は減速していくので、貧富の格差などが原因で社会内の緊張が高まり、中国という国の統治が難しくなっていきます。その意味では中国の経済だけでなく、中国の政治も注視していくべきです。なぜなら経済成長が減速すれば、社会内の緊張が高まり、政治の指導者がそれを抑えようとしてとんでもないことをする可能性もあるからです。

「技術の主人にして所有者」

――話を幸福に戻します。ご著書では、「自ら首を吊ろうとする者も含めて、誰もが幸せを求めるのだ」というパスカルの言葉を引用されています。コーエンさんは幸福になるために何をしていますか。人は幸福になるために何をすればいいのですか。

コーエン　人とともに生きること、信頼できる友人を持つこと、ほかの人との競争をできるだけ敵意のないものにすること。そんなことを意識しています。私はあまり嫉妬する性格ではありません。競争意識もあまりないので、そのおかげで幸せになれている側面はあると思います。

いずれにせよ幸福を目標としてとらえるのはよくないですよね。「幸せになろう」と思ってもうまくはいきません。アリストテレスだったかと思いますが、幸福は報酬であり目標ではないと言っています。目標とすべきは、近しい人とともに時間を過ごし、その人たちを助けたり、会話をしたりすることです。家族や友人だけでなく、交流の範囲をもっと広げるのもいいかもしれません。私は教師なので、自分の教え子がそれぞれの進む道を見つけたときには大きな満足感を覚えます。

幸福になるために何かをしようとは思わずに、ほとんど幸福のことは忘れたほうがいいのです。フロイトによれば、幸福とは、寒くて毛布をかけたときに味わう束の間の感覚のようなものだとのことです。心掛けるべきなのは、自分の内の調和を保ち、周りの人とも調和を保つことです。

——経済政策の目標が「成長」でないとすれば、何をめざすべきなのですか。

コーエン　めざすべきは「成長」でもなければ、「脱成長」でもありません。人間としての生活に最低限必要なものが何なのかを見据えるべきです。自国の若者に何を与えられるのか。どんな知的能力、身体的能力を持てるようにすべきか。若者が社会と調和を保ちながら生きられるようにするには何ができるのか。若者が興味を持てる職業に就けるようにするにはどうすればいいのか。こういったことがいまの重要課題です。とりわけ昨今はAIといった最新技術で雇用が破壊されようとしていますからね。

自分の教え子たちには、テクノロジーの奴隷になるのではなく、技術に習熟してテクノロジーの主人になるようにしなさいと言っています。かつて哲学者のデカルトは人間を「自然の主人にして所有者」だと言いましたが、これは自然を隷属させる思想だったので、大惨事を招くことになりました。だから私はデカルトの表現を少しだけ変えて、人間が「技術の主人にして所有者」であるべきだと言っています。人間が技術に圧倒されるようなことがあってはなりません。

私がフランスについて残念だと思っているのは、スポーツや音楽やアート、演劇、読書といった人間性を育むものに充分な場を与えていないことです。もしかすると日本の事情も似ているかもしれませんが、フランスでは、将来の社会的ステータスを定める高等教育機関への入試対策に長い時間を費やすようになっています。私はピアノを弾けるようになるのは、人の魂を磨き、幸福につながることだと考えていますが、世間では、ピアノの練習をする時間があるなら学課の勉強をしろという発想になっているので、ほんとうに悲劇的だと感じています。

新型コロナとデジタル資本主義の相乗効果

——15年後の2035年は、どんな世界になっていますか。

コーエン　15年後の2035年の世界は、15年前の2005年の世界と、大きく変わることはないのでしょうか。2005年の世界と、いまの世界は、さほど変わっていませんよね。それとは対照的なのが、1990年から2005年の15年間でした。インターネットが発展し、SNSまで生まれました。iPhoneが発売された2007年も、この期間に入れてもいいかもしれません。ただ、一般的には、このように大きな変化が次々に起きる期間は珍しく、歴史はゆっくり流れるのが通常です。

これからの15年で大きな変化があるとしたらAIやSNSが関連することだと考えます。とりわけ今回のコロナ危機を経て、社会のルールの多くが変わると想定されるので、そこは注視する必要があります。在宅で仕事をする人が増えたり、オンライン診察が普及したり、オンライン教育が普及したりすることが予想されますが、そのような社会全体の方向性を定める決定が、何の議論もないまま実行されていく可能性があります。

――新型コロナがデジタル資本主義を加速させたと指摘されています。どういうことですか。

コーエン　歴史における偶然の一致とでもいえばいいのでしょうか。新型コロナの流行と、すでに始まっていた社会のデジタル化が同時に起きる歴史的必然性はなかったのですが、たまたま同時に起きたので、社会のデジタル化が急ピッチで進むことになりました。

何が偶然の一致だったのか。まず新型コロナの特徴は、人と人が対面して接触することのコストが高まり、そのようなことをするのを恐れる人が増えたことです。コロナ禍では、私たちは人との接触をできるだけ減らしました。劇場やコンサートホール、レストランや学校の教室に人が行かなくなりました。

デジタル資本主義も、やっていることはまったく同じです。ビデオ会議サービス「Zoom」などは、対面せずに人と話せるようにする技術です。なぜ対面を減らそうとするのか。それは対面で話をするのが、じつはコストが非常に高い行為だからです。複数の人が一つの場所に集まって話し合うためには、それぞれが移動する必要がありますからね。

経済学には「ボーモルのコスト病」という用語があります。これは簡単に言ってしまうと、サービス業には製造業のような生産性がないということです。製造業では、一度工程を作ってしまえば、自動車などの製品の生産量をどんどん増やせます。それに対し、人が相手のサービスでは、どうしても人を相手にすることに時間をとられてしまいます。そのためサービスはコストが高く、生産性を大きく上げられないのです。

その意味では、デジタル化がサービス業の生産性を上げる可能性もあります。それぞれが移動しなくても、人が集まって話せるようになったことはほんの一例に過ぎません。アルゴリズムは、さまざまな分野で生産性を大幅に向上させる可能性を秘めています。たとえばアルゴリズムで人の健康状態を計測し、病気になったら、「この薬を飲みなさい」「薬を飲んで3日経ったけれども、症状が改善しないので医者に行きなさい」といった指示を出せるようになるかもしれません。軽い病気なら、医者のところに行かない時代になるかもしれないのです。

行政が新型コロナ対策でやっていることも、デジタル資本主義がやっていることも、「人と人の接触を減らす」というところが一致していました。それでいま新型コロナとデジタル化の相乗効果のようなことが起きています。奇妙な偶然の一致なのですが、これが現実なのでどうしようもありません。

「社会のウーバー化」

――デジタル化の進展は働く人の労働条件を改善せず、むしろインターネットを通して単発の仕事を依頼、受注する働き方であるギグエコノミーの普及で労働条件を悪化させているようにも思えます。なぜイノベーションは働く人の労働条件を悪化させているのでしょうか。

コーエン　イノベーションが押しなべて労働条件を悪化させるわけではありません。AI

によって未来の労働条件が悪化すると予想する人もいますが、その説が正しいかどうかは、まだ結論は出ていません。予想を裏切って、ＡＩのおかげで医師や看護師がいまよりも効率的に働けるようになる可能性もあります。教師も生徒の知識習得状況をいまよりも正確に把握できるようになり、教え方が上手になる可能性もあります。そういう意味では、今後のイノベーションが必ず労働条件の悪化をもたらすと決まっているわけではないのです。

とはいえ、この30年をふりかえると、インターネットは労働者の間の競争を煽る方向で使われてきました。インターネットの普及で、それまでは自国でやっていた仕事の多くが、国外に発注されるようになりました。以前は新聞や雑誌の業界で働く人は、オフィスに出社する会社員でしたが、インターネットの登場後はフリーランスの人が増え、複数の媒体で働くようになっています。労働者は、いつでも仕事の依頼に応じられるように、つねに臨戦態勢をとらなければならなくなっています。

フランスでは「社会のウーバー化」という用語が登場しました。これは社会から会社が減り、労働者の管理をアルゴリズムが担うようになったことを指す言葉です。アルゴリズムは、労働者に対して、つねに高い目標を求めるように設定されています。デジタル資本主義は、基本的にはコストを下げる手段として発展してきており、残念ながら、人が働きやすい環境を整えてきたわけではありません。

ただ、映画やラジオも、もともとは演劇やコンサートなどを楽しむコストを下げる発明だったわけです。演劇を見に行くのはお金がかかりました。観劇したければ、まず大きな町に行かなければなりませんからね。映画は、そんな演劇を安く楽しむための手段として開発され、やがて演劇とは異なる別の芸術へと発展していきました。写真も同じです。最初は、コストが高い肖像画を安く提供できる手段として発明されましたが、やがて写真それ自体が、絵画とは異なる別の芸術へ発展していきました。

テレビは映画館に行くコストを下げる発明だったといえます。こちらは映画や写真のように芸術の進歩につながったかというと、判然とはしませんが、いまはネットフリックスで自宅を出なくても、大量の映画を見られるようになりました。一部の続き物のドラマはきわめて上質であり、テレビを刷新させました。ですから大きなイノベーションは、たとえ最初はコスト削減が目的だったとしても、新しい想像力の世界を生みだし、コスト削減という当初の目的を越えた何かになることもあるのです。もちろん、すべてがそうなるわけではありませんがね。

インターネットには素晴らしい点がいくつもあります。オンライン百科事典ができ、想像を絶する量の知識を入手できるようになりました。しかし、インターネットは、基本的には、コストを下げるための手段として開発されてきました。そのため、人びとの負担やストレスが増えました。

インターネットがもたらしたプラス面とマイナス面を比較すると、この20～30年では、どちらかというとマイナス面のほうが大きかったのではないか。それが私の見方です。インターネットのマイナス面をどうやって減らし、プラス面をどうやって増やすのか。各政党はそのことを課題として考えていくべきです。プラス面ばかりのイノベーションはありませんし、マイナス面ばかりのイノベーションもありません。上手にバランスをとっていくことが大切です。

――コロナ危機ではエッセンシャル・ワーカーと呼ばれる人たちの給与水準が悪いことが注目されました。ポスト産業社会において、人対人のサービスの仕事をする人たちの労働条件を向上させる手段はありますか。

コーエン　職種によって事情は異なるかと思いますが、医療と教育の分野は、人間として最低限の生活をするために必要です。この分野では絶対に給与水準を上げなければなりません。そのためには社会が連帯して給与を上げさせることがとても重要です。給与水準を上げるもう一つの方法は、これらの分野で働く人の生産性を高めることです。いまよりも仕事の量を多くできるようになれば給与が上がりますからね。

フランスの場合、医療従事者は二重の意味でつらい思いをしていました。仕事の量が増える一方で、給与は下がる一方でした。ひどい競争の圧力にさらされながら、もらえる給料は上がらないという矛盾があったのです。

私が期待しているのは遠隔医療などの新しいテクノロジーで医療の質が向上することです。新しいテクノロジーを使うことで医療従事者が時間を節約できれば、重度の患者の治療に専念できるようになるかもしれません。ですからコロナ危機が続く間は、都市部の病院や医師が新しいテクノロジーを使って、いい仕事ができるように支援していくべきです。仕事の質が上がれば、病院や医師がもらうお金も増えます。看護師も新しいテクノロジーを使って、いまより多くの患者の看護ができるようになれば給料が上がります。

フランスでは医療と教育は準公営部門です。1980年代から始まった保守による経済自由主義の革命のせいで、税金がどんどん下がり、フランス政府は貧乏になり、それに合わせて医療や教育の部門も貧乏になってしまいました。そのプロセスが限界に達しています。

――デジタル化が進むと、エンジニアが持つ力が強くなりそうです。これが文化を変えることはありますか。

コーエン　ネットフリックスがいい例です。ネットフリックスはデジタル化の産物であり、文化を変えましたよね。ネットフリックスのドラマ制作にはＡＩも使われています。日本でどのドラマが人気なのかは知りませんが、『ゲーム・オブ・スローンズ』などは、前例のない規模の文化的事件となりました。その意味では、アーティストたちもＡＩやデジタル化の恩恵を受けたわけです。ＡＩが芸術の創造を手助けしたのですからね。

ただ、経済学者が重視する問いは、「これらの新しいテクノロジーが、人間がいまよりもいい仕事をするのに役立つのか。それとも新しいテクノロジーは人間の仕事を代替し、人間から雇用を奪うものなのか」というものです。もし答えが後者なら、社会は弱体化します。病気になっても、医者ではなく、機械に診てもらう世界が到来します。

抜け落ちた「身体性」

――インターネットは社会のインフラとなりましたが、そのインフラの開発は、民間のスタートアップやベンチャーキャピタルが担ってきました。ＧＡＦＡなどが強大になっている現状には、政府にインターネットを公共のインフラとして整備する想像力や意思、ノウハウが欠けていたという責任問題はあるのでしょうか。

コーエン　そういった側面もあるかもしれません。ただ、私が思い出すのは、１９８０年代からフランスにあった「ミニテル」という通信テクノロジーです。これはフランス政府が開発したもので、インターネットの先駆けだったと言われています。技術的には水準は高かったのです。インターネットと同じでパケット通信が使われていました。しかし、ミニテルはあまり発展しませんでした。問題は政府自体にあったというより、政府が技術を独占してしまったせいで、民間や大学との連携が弱かったところにありました。

インターネットがこれほど発展したのは、黎明期に大学がインターネットを利用するようになったことが関係しています。インターネットのプロトコルが作られたのは欧州原子核研究機構（CERN）でのことでした。ですから「政府」と「民間」を対立させて考えるのは妥当ではない気がします。むしろ大事だったのは、民間部門や公共部門に多数の利用者を抱え、そうした利用者とのやりとりを積極的にすることだったのだと思います。そうすればミニテルのポテンシャルやチャンスを活かせていた可能性もあります。

ミニテルが失敗した原因は、オープンなアーキテクチャとして構想されなかったせいで、利用者の側から改善できなかったことでした。ターンキー方式の製品だったので、誰かの電話番号を調べるくらいしか用途が見つかりませんでした。ミニテルをコンピュータのように使うこともできず、マウスも開発されず、プリンターもありませんでした。何にも使えなかったのです。ミニテルの開発がオープンな環境でおこなわれていたら、大学や研究所がもっと融通のきくプロトコルを作っていたはずです。

――デジタル・サービスは社会から「集団の経験」を減らす方向に進んでいます。ネットフリックスで映画を見るようになれば、映画館には行かなくなります。コロナ危機では、子供たちが学校に行かずに、自宅で勉強する時期もありました。２０２０年のアメリカの大統領選では、民主党の党員集会が完全にオンラインで実施されました。集団での経験がなくなり、個人が孤立する状況が増えていったとき、それは経済や社会にどのような影響を及ぼしますか。

コーエン　これから人がオンラインでしか会わなくなっていくのだとすれば、それは大惨事です。このインタビューの冒頭でも言ったように、人間は社会的な動物であり、人と人の間でしか生きられないのですからね。

ヒトという動物の特徴の一つは言語です。言語を使ってほかの人と話をして、その経験から自分が何者なのかを理解し、内面を育てていくのです。18世紀のフランスでは、「野生児」といって森の中でオオカミのように生活していた子供たちが発見されましたが、彼らを人間社会に入れようとしても、長くは生きられませんでした。人間の特性が発達していなかったので、自分の言いたいことを言えなかったのが原因でした。

オンライン上のコミュニケーションも、コミュニケーションではありますが、そこには「身体性」が抜け落ちてしまっています。ですから仮にオンラインでしか人が会わない世界が到来したら、身体がそれに反発すると考えられます。いまの人から見れば、奇妙な現象が起きる可能性もあります。たとえば日本では、代理の祖父母や友達をレンタルするサービスがあるという話を読んだことがありますが、社会が人と出会えるチャンスを用意するようになるのかもしれません。人間は出会いを必要とするので、学校や工場で仲間と会って会話をする経験が減っていけば、「他人との関係を作ってくれる産業」が発達していく可能性があります。出会い系アプリの普及を見れば、すでにそれは始まっていると言えるかもしれません。独身者には非常に便利なアプリですが、そういったアプリがあること自体、人が望んでいるほど、他人と出会えていないことを示唆しています。若者は忙しくて人と会う時間がとれないでいるうちに、どんどん年をとって出会いのチャンスが減ってしまっているのです。

――日本ではユーチューバーになりたいと考える10代の子供が少なくありません。10代のうちはたとえ働いても安いバイト代しかもらえないのだから、動画を作って一発当てたほうが経済的にも合理的だという発想をしています。このような考え方は妥当なのでしょうか。

コーエン 答え方には2通りあります。それを一種の賭けと見るならば、経済学的には、もしかしたら妥当である可能性もあります。低賃金でつまらない仕事をして自分の時間を無駄にするよりは、一発で簡単に大金を稼げるかもしれないことをして、うまくいかなかったら、その時点でまた方向転換すればいいという発想ですよね。

ただ、これにはもう一つの見方もあります。この話で思い出すのは2005年に出版されてベストセラーになった『ヤバい経済学』です。あの本の中に「麻薬の売人は、なぜ母親と一緒に暮らしているのだろうか」という話が出てきます。そこで描かれていたのは、麻薬の密売に関わる人は、ほぼ全員が貧乏で、豪勢な暮らしをしているのはギャングのボスだけだということでした。それなら麻薬の密売から足を洗えばいいではないかと思いますが、彼らはやめません。なぜかというと、いつの日か、自分もボスになれるという夢をあきらめられないからです。

クリエイティブ産業や文化産業にも似た構造があります。これらの産業は、お金持ちのスターがごく少数いて、そうしたスターをめざす貧しい人たちが多数いる、勝者総取りの世界です。そのような世界で生計を立てようとするのは気の滅入る話です。なぜなら、そこは、ほとんどの人が自分は失敗したと感じることになる世界だからです。100人に1人が成功できる世界でも、99％は失敗することになります。プロテニスの例で言うなら、世界ランキング100位の選手です。世界でテニスが100番目に上手なわけですから、その人の能力は圧倒的に高いですよね。でも、彼はトップの選手にくらべると全然お金を稼げません。このような構造の世界で働く人には、ほとんどの場合、尋常でない水準の幻滅と生きづらさが待ち構えています。

極度の専門化を求める危うさ

――コーエンさんは優秀な経済学者を育てた実績でも知られています。教え子にはベストセラー『21世紀の資本』の著者トマ・ピケティ、2019年にノーベル経済学賞を受賞したエステル・デュフロ、2020年の米大統領選の予備選に影響を与えたエマニュエル・サエズやガブリエル・ズックマンもいます。それでコーエンさんの教育観をうかがいたいのですが、コーエンさんご自身は、ご両親からどのような教育を受けたのですか。また、お子さんにはどのような教育を与えたのですか。

コーエン　父からは、学ぶことや知識を得ることへの強いこだわりを受け継ぎ、それを自分の娘にも伝えました。私の父は、あらゆる知識を貪るようなところがあり、私にもそれが遺伝しました。私が豊かな気持ちになれるのは、自分がこれまでに読めた本の数々を思うときです。世の中には資産が100万ドルあると豊かな気分になれる人もいますが、私の場合は、それが本を読んで得た知識の量なのです。

私はもともと数学者でしたが、一つの専門分野に限定されたくなかったので、経済学も学びました。経済学には、数学の方法を使って経済を理解するところがありますし、経済学がとても面白かったからです。

本を書くときや、授業をするときに意識しているのは、経済学の話題に哲学や歴史、そしてときには心理学や精神分析の話を混ぜることです。つねに自分の知識の分野を広げることを心掛けてきました。「ルネサンス的教養人」という言葉がありますが、それをめざしてきたのだと思います。いまの世界では、そんなことをするのは場違いな感じもありますが、私はむしろ極度の専門化を求める現代世界に危うさを感じています。

学生たちには、この好奇心も伝えようとしてきました。学生の中には、自分の専攻は経済学なので哲学の勉強は嫌だという人もいれば、自分の専攻は哲学なので経済学の勉強は嫌だという人もいます。そういった学生には「経済学が専門でも哲学の勉強をしたほうがいい。哲学が専門でも経済学の勉強をしたほうがいい。そのほうが思考力が豊かになり、独創的な仕事ができるようになる」と言っているのです。

トマ・ピケティ
ビリオネアをなくす仕組み

「格差を作るのは、政治です」

Photo : Eric Fougere/VIP Images/Corbis/Getty Images

Thomas Piketty : « Il est temps de dépasser le capitalisme » L'obs 19/9/4
ピケティさん、「格差が生まれる仕組み」を知れば格差はなくせるんですか？　(COURRIER JAPON 19/11/6)

Thomas Piketty　1971年、フランス・クリシー生まれ。パリ経済学校経済学教授。社会科学高等研究院（EHESS）経済学教授。20ヵ国以上の18世紀以降の資料をもとに、不平等が拡大するメカニズムを解き明かした著書『21世紀の資本』（みすず書房）の販売部数は、分厚い経済書としては異例の250万部（世界全体）。資本収益率が経済成長率を上回るほど、富は資本家に蓄積されるため、富の再分配をおこなうことが重要と説いた。近刊に『資本とイデオロギー』。

『21世紀の資本』などで知られるフランスの経済学者トマ・ピケティの新著『資本とイデオロギー』が出版され、各国で話題になっている。前著に続いて今作も1232ページという大著だけに、その内容を理解するには相当な労力が必要だ。

そこで、ピケティ本人が著書の主張をフランスメディア「ロプス」の取材に答えたロングインタビューを全訳でお届けする。

ピケティの新刊『資本とイデオロギー』

資本論のシーズン2がついに始まる——。2013年、『21世紀の資本』で世界的ヒットを飛ばしたトマ・ピケティが、2019年9月、新著をフランスで出版した。書名は『資本とイデオロギー』（未邦訳）。今回も1232ページという分厚さであり、内容も前作に匹敵する野心作となっている。

長期の視点から徹底分析されるのは、「格差が生まれる仕組み」だ。どんな格差も「自然」にできるものではない。だから、その格差がどのように正当化されるのかが分析されている。

ピケティに言わせれば、どんな社会の仕組みも永久に続くわけではない。どうすれば格差を縮小できるのか。どうすれば資本が少数の手に集中しなくなるのか。新しい社会の仕組みをどんどん想像していくべきだという。

そろそろ「私有財産は神聖不可侵」と考えるのをやめるべきだというのがピケティの持論だ。新著の後半では、これから進むべき道がいくつか示されている。

たとえばドイツに倣って労使共同決定を導入すれば、「私有財産の社会化」が図れるという。また、資産に対する課税を実施し、その税収を財源にして25歳になった若者にまとまった額の資本（たとえば1500万円ほど）を一律支給する制度も提案している。これは「私有財産の時限化」を狙ったものだ。

これは左派に刺戟と活力を与えられる、「参加型の新しい社会主義」なのかもしれない。

ピケティに話を聞いた。

『21世紀の資本』、二つの弱点

――またしても分厚い本です。なぜこのタイミングで出されたのですか。

ピケティ　前著の『21世紀の資本』が出てから、たくさんのことを学ばせていただきました。ほとんど何も知らなかった国にも招かれ、おおぜいの研究者と出会い、数百の討論会に出席しました。そのような意見交換を経て、私の考えも新しくなったんです。

前著の『21世紀の資本』の内容は、大雑把に言うと、「20世紀は19世紀の格差を引き継いで始まったが、2度の世界大戦を経て格差が大幅に縮小した」というものでした。1980年代以降、格差の再拡大が始まっている不安要素も指摘しました。

ただ、あの本には二つの弱点があったんです。第一の弱点は、きわめて西洋中心の記述だったことです。今回の本では目線を広げました。もちろん今回も「貴族・聖職者・労働者の三身分で構成されていた社会」が、どのようにして「有産者の社会」に移行していったかを書いています。

しかし、今回はそのほかにも、奴隷制の社会、植民地社会、共産主義体制の社会、ポスト共産主義体制の社会、社会民主主義体制の社会、インドのカースト、ブラジル、中国、ロシアの事例なども調べました。

前著のもう一つの弱点は、格差を成り立たせるイデオロギーに軽くしか触れていなかったことです。このブラックボックスを今回、開けてみました。そんなことをしたので、どうしてもページ数が増えてしまいましてね。

――前著より新著のほうがいいということですか。

ピケティ　そうだと思います。私も進歩していますからね。一冊しか読まないなら、今度の本を読むべきです。

格差正当化「神話」を見破る

――新著では、時代を追いながら、格差を正当化するイデオロギーがどのように変遷していったかが非常に長く書かれています。

ただ、この歴史の記述は、一種の回り道であり、ピケティさんが言いたかったのは、「いまからでも別の社会制度に移行するのは可能だ」ということのように思えました。いまとは異なる社会制度を望むのは、世間で思われているほど絵空事ではない、ということなのでしょうか。

ピケティ　これまで「格差レジーム」にどんなものがあったか、その歴史を書いています。結論として出てきたのは、支配的イデオロギーが見かけより脆いということです。格差を作るのは、政治です。経済やテクノロジーが「自然」に格差を作りだすわけではありません。

だから、どの社会にも「なぜ格差があるのか」を説明する物語が必要になってきます。なぜその格差を受け入れるのが妥当なのかを教える物語も必要です。社会の階層化を正当化し、財産権や国境、租税や教育の仕組みを正当化する物語も必要です。

そうしたことに関する過去のイデオロギーの歴史を知ると、現在のイデオロギーも距離を置いて見られます。

私たちは過去の時代の格差について不公正で専制的だと思い込みがちです。一方、現代の格差については、能力主義の結果であり、活力の源泉であり、閉鎖的なところがないと思い込みがちです。私自身はそういう見解を一言たりとも信じません。

資産額にゼロを何個も連ねる資産家を、フランスのマクロン大統領は「ザイルパーティーの先頭に立つ人」と称賛しています。アメリカのトランプ大統領も「雇用創出を担う人」と褒めています。

昔は宗教の言葉が格差を受け入れさせていましたが、大統領のこうした言葉は、その意味で「宗教的」なのです。

私有財産という「宗教」

――19世紀は「財産格差」の黄金期だったことが書かれています。

ピケティ　フランス革命前の身分制社会は、宗教的な原理にはっきりともとづいていました。一方、革命後に成立した「有産者の社会」では、従来の宗教に代わって、私有財産が神聖不可侵なものとして尊重されました。

そこには一種の高所恐怖症のような恐れがありました。ひとたび財産権を俎上に載せたら、とどまるところを知らない事態を招くのではないかという恐れがあったんです。パンドラの箱を開けるのを恐れるあまり、どんな蓄財でも正当化されることになりました。犯罪的な蓄財も正当化されたのです。

たとえば19世紀に国家が奴隷制を廃止したとき、国家は奴隷の所有者にわざわざ損失補償をしています。奴隷のほうに賠償金を支払うのではなくてね！

フランス国王のシャルル10世は、フランスに反旗をひるがえしたハイチに、フランス人元奴隷所有者への賠償金を支払わせました。その結果、ハイチは巨額債務を負い、それが20世紀までハイチ経済にとっての足かせとなったのです。

フランス革命の失敗

フランスの全私有財産のうち、「上位1%の最富裕層」と「下位50%の貧困層」が保有する割合

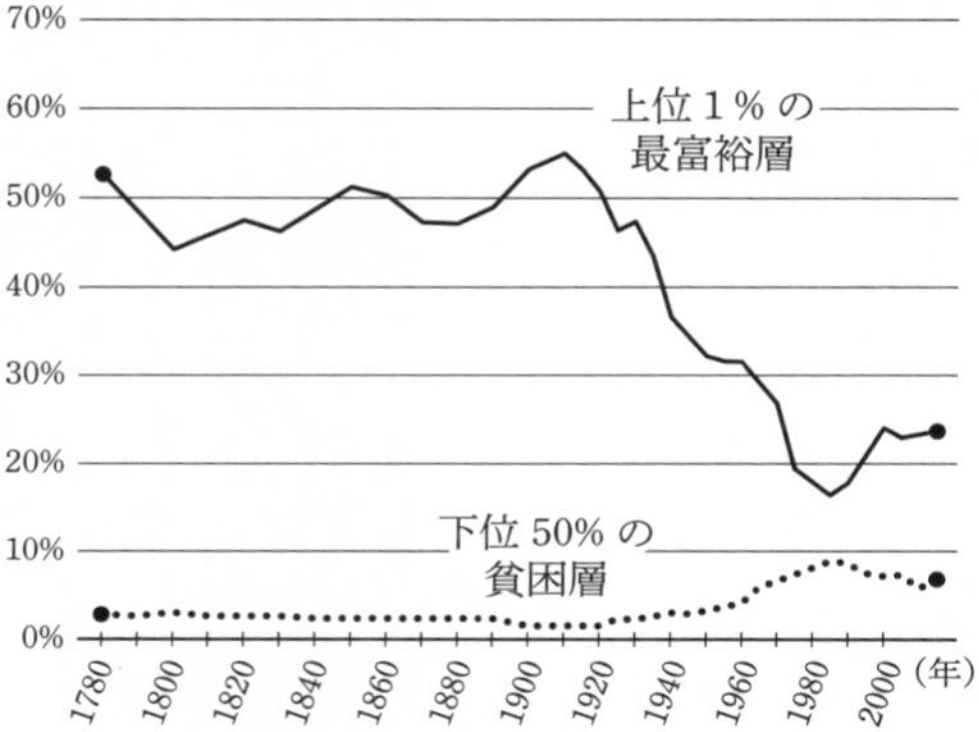

このグラフは、フランス革命が格差の解消に失敗したことを示す。19世紀は上位1%の最富裕層が全私有財産の半分を保有し、下位50%の貧困層がほとんど何も持たない時代だった。格差が縮まったのは20世紀に入ってからだ。きっかけは、1914年の所得税の累進課税の導入と2度の世界大戦だった。しかし、1980年代になると、共産主義の崩壊とネオリベラリズム革命の始まりにより、格差の再拡大が始まっている。

資本主義を乗り越えていくとき

――どうしてそこまで財産権へのこだわりがあったのでしょうか。

ピケティ　19世紀初頭の人びとの脳裏には、まだ革命前の王権の恣意放縦がありました。

だから、合理的な国家が私有財産を守るということに、有産者たちは王権からの解放を実感していたんです。それはこれからオープンな世界ができるという約束でもありました。

そう考えることが完全に間違いだったわけではありません。ちなみに今回の本では、格差を正当化するイデオロギーについて、どれも悪の権化のようには書いていません。どのイデオロギーにも、それなりの真実はあるのです。

ただ、私有財産の神聖化が行き過ぎると、問題が始まります。そのせいで過去に莫大な損害が発生しています。いまの人は、そのことを少し忘れてしまっているのではないか。私はそこに不安を感じています。

ソ連崩壊後、私たちはまたパンドラの箱を開けることに怯えはじめ、財産権を再定義しようとしません。

「レーガニズム」は、あらゆるかたちの富の集中を正当化しました。まるでビリオネアこそ、救い主であるかのような言い草です。

私自身は、この高所恐怖症のような恐れは乗り越えられるし、乗り越えねばならないと確信しています。民主主義に則って、財産権について熟議を重ねるのです。複雑ではありますが、やり遂げられるはずです。

支えになるのは歴史の教訓です。20世紀に格差が大幅に縮小された成功事例を思い起こ

レーガニズムの失敗

米国の全所得のうち「上位１%の最富裕層」と「下位50%の貧困層」が占める割合

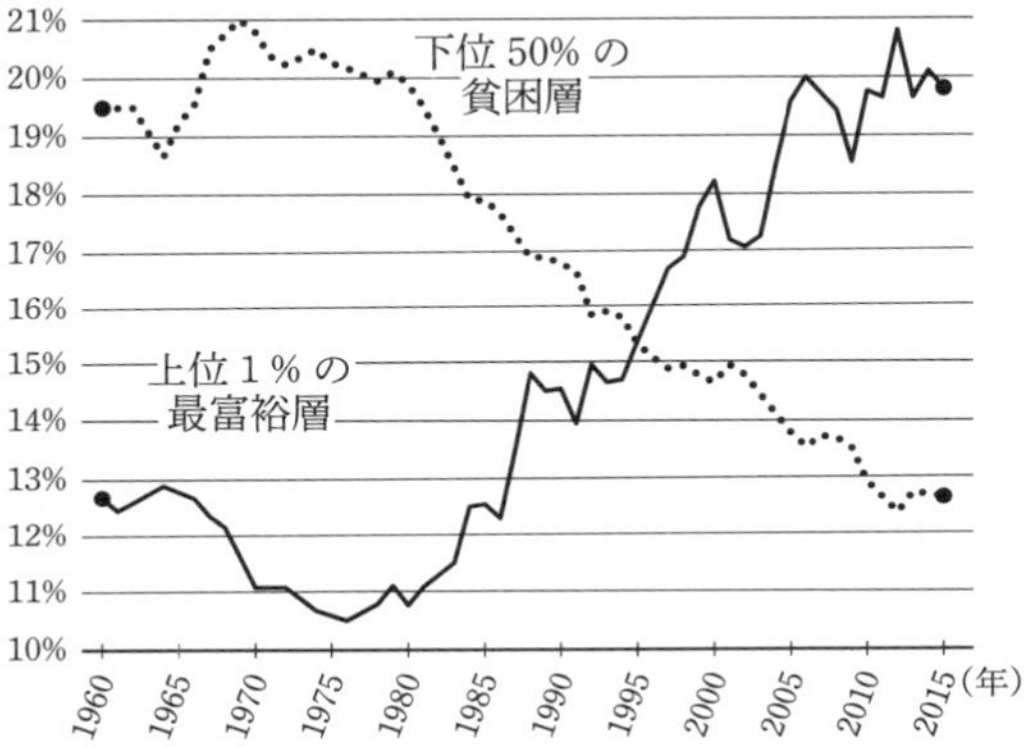

レーガニズムの革命は、「万人に繁栄をもたらす」という触れ込みだったが、実際には下位50%の貧困層の所得を急落させた。30年の間に、全所得に占める下位50%の貧困層の割合は20%から12%に減っている。一方、上位１%の最富裕層の所得は、逆の曲線を描いている。最富裕層の所得の急上昇は、単なる象徴的な話ではなく、マクロ経済面でさまざまな影響を及ぼした。

すべきです。レーガニズムの限界が露呈しています。経済成長は半分となり、格差は倍になりました。

そろそろ財産権の神聖化のステージを抜け出すときです。資本主義を乗り越えていくときが来ているのです。

そうは問屋が卸さない？

――ピケティさんは、資本主義を乗り越えていけると楽観的です。しかし、世間一般は、「結局、最後に勝ち残るのは資本主義だ」と考えている節があります。

ピケティ　歴史が示していることがあります。それは、ある格差レジームから別の格差レジームへの移行を予測するのは絶対にできないということです。

スウェーデンがいい例です。スウェーデンの社会制度について、古くはバイキングの時代まで遡れるスウェーデン人の平等重視の文化があってのことだと言う人がよくいます。でも、実際に見てみると、この国は長い間、きわめて不平等な国だったんです。1911年まで、この国の選挙制度では、最富裕層が1人で100票持てたりしていました。この国が変わったのは、人びとが力を結集して政治を変えたからです。1910年の時点で「スウェーデンはやがて社会民主主義の国になる」と予言した人がいたとしても、誰もそれをまともに信じなかったはずです。

だから私も現行のシステムが不滅だとは考えません。現行のシステムが危機にさらされることは、今後もあるはずです。そのときに、あちこちからアイディアや提言が引っ張り出されて、何が使えるかが検討されるのです。

万人向けの社会主義は可能？

――２００８年の経済危機のときは、システムが破綻寸前まで行き、これからはすべてを変えなければならないと言う人が多かったです。しかし、結局、システムは大きく変わりませんでした。なぜでしょうか。

ピケティ　２００８年は、まだポスト１９９０年代のステージを抜けたばかりだったので、次の段階に向けての知的準備が足りていなかったんです。

それに当時は植民地主義の終わりに関する別の課題もありました。「ポスト共産主義」と「ポストコロニアリズム」という二つの課題があったので、普遍主義的な社会主義思想がなかなか出てこない状況でした。

しかし、それも変わってきています。米国ではバーニー・サンダース、エリザベス・ウォーレン、それから民主党の若い党員たちが富の再分配を掲げるようになっています。

私有財産の「社会化」とは？

――新著では富の集中を防ぐための提案がいくつか書かれています。第一の提案として、ドイツ流の「労使共同決定」をとりいれて、私有財産の「社会化」を図るべきだとしています。

ピケティ　いまの社会が向き合うべき真の課題は、権力の問題です。財界が経済的権力も政治的権力も握るようになっていますからね。

新著では「参加型の社会主義」の構想を描いてみました。かつて「ソ連型の超国家的な社会主義」は惨憺たる結果をもたらしましたが、私が提唱する「参加型の社会主義」は、そのソ連型の社会主義とは対極をなすものです。これは労使共同決定を通して実現可能なものです。

労使共同決定をとりいれた国は、1950年代以降のドイツと北欧諸国だけですが、最近は英国の労働党や米国の民主党でも、この制度が研究されています。

ドイツでは大企業の場合、従業員の代表が取締役会で議決権の半分を持ちます。スウェーデンの場合、従業員の代表が握る議決権は全体の3分の1ですが、大企業より規模が小さい企業にもこのルールが適用されています。

この仕組みがあるおかげで、ドイツや北欧では、ほかの地域にくらべて、経営者への報酬額を抑えられているほか、従業員が自社に投資する割合も高くなっています。

私の提案では、この路線をさらに推し進めて、大株主が持てる議決権を、たとえば「10%まで」と上限を定めるべきだとしています。そうすると中小株主もゲームに参加できるようになり、従業員と同盟を組める可能性も出てきます。

私有財産制を終わらせたいのか？

――あなたの提案は私有財産制を終わらせようとする目論見のようにも思えます。

ピケティ　そうではありません。なぜなら、こうした措置は、企業の規模に応じて調整されるからです。目標は、財産権の「社会化」や「時限化」を通して、私有財産制を乗り越えていくことです。

仮にある人が自分の貯金を全額投じて飲食店を始めたとしましょう。この場合、この人が、開店前日に雇った従業員より、大量の議決権を持つのは当然です。

私有財産制は、それが度を越さないかぎり、正当なものです。しかし、政治や経済の権力が一部の人に過剰に集中したり、その権力の集中が長期化したりすることは、避けなければなりません。

世の中には、「一株＝一票」で動いていないセクターがたくさんあります。大学や文化事業、一部のメディアがそうです。これらの組織は、ちゃんと機能しています。

財産権には複数のタイプがあり、それが併存していくべきです。公有財産という仕組みも、必要不可欠な手段であり続けています。

私はパリの空港民営化に関して、国民投票の実施を求める要望書に署名しました。「空港や病院、大学、学校といった公共サービスは国家によって運営されるべきだ」というのが私の考えだからです。

私有財産を「時限化」せよ

――第二の提案は、資産に対する累進課税を導入し、私有財産の「時限化」を図ることです。

ピケティ　第一次世界大戦後、先進国の大半で所得税が導入されました。最富裕層に対する所得税率は、「栄光の30年」と呼ばれる１９４５～75年の経済成長期に、きわめて高い水準まで引き上げられました。米国では最高で90％になったんです。

しかし、それが経済成長を押しとどめることはなく、むしろ逆の展開になりました。この事実はよく忘れられがちです。

私が提案しているのは、もう一度、このモデルに立ち返り、もっと先に進んでみることです。そのために資産への累進課税を提案しています。

狙いは、ひとりの人間が持てる資産の額に時間的制約を設けることです。

20世紀には莫大な額の遺産相続に税金がかけられましたが、それも同じ考え方にもとづくものでした。世代が代わったら、親族は富の一部を社会に還元すべきだという考え方です。ですが、これだけでは充分ではありません。平均寿命が長くなっていますからね。30歳で1000億ユーロ（12兆円以上）を稼いだ人がいたとします。この人が90歳になるまで、カードが切り直されるのを待たねばならないのでしょうか。そんなことをするのではなく、生前から財産を循環させていかねばなりません。

ビリオネアは経済成長を後押ししない

――つまり、フランスの場合でいうと、「連帯富裕税」（2018年まで130万ユーロを超える資産を課税の対象としていた）を復活させるべきだということでしょうか。

ピケティ　私の提案は、毎年、資産に対して累進課税をすることです。フランスの場合、累進資産課税ができれば、現行の不動産税や不動産富裕税はいらなくなります。資産に対する課税では、不動産だけでなく、金融資産にも税をかけます。

いまフランス人1人当たりの平均資産は約20万ユーロ（約2400万円）です。目安として私が仮に設定した数字では、資産が20万ユーロ以下であれば、資産税の税率を0・1％としました。

この層にとっては、現行の不動産税よりも税負担は軽くなります。資産額が増えるにつれ、税率も徐々に上がります。資産額が200万ユーロを超えたら税率は5%、2億ユーロ（約240億円）を超えたら60%、20億ユーロ（約2400億円）を超えたら90%です。

この世からビリオネアをなくす仕組み

――その方式だと、起業家は自分が創設した会社の価値が高まったら、その会社を売らねばならないことになります。かなり過激に思えます。

ピケティ　でも、起業家の大半はビリオネアではありませんよね……。私が提案したシステムでは、数百万ユーロ、数千万ユーロの資産を一時的に持てます。

総資産額が数億ユーロ、数十億ユーロとなった時点で、新しい株主と権力を分かち合わねばならないと言っているだけです。この場合、新しい株主とは、自社の従業員である可能性もあります。

ひとことで言えば、この世からビリオネアをなくす仕組みです。でも、いったい誰が「世の中にはビリオネアがいたほうが公共の利益になる」と主張できるでしょうか。

しばしば言われていることとは反対に、ビリオネアたちが裕福になれたのは、知識やインフラや研究施設といった公共財のおかげなのです。ビリオネアたちの出現が経済成長を押し上げたという話は、純然たる間違いです。

国民1人当たりの所得の伸び率を見ると、米国では1950〜90年には年2・2％だったのに、1990〜2020年は年1・1％に落ちています。

「ビリオネアが経済成長を後押しした」という言説は、下劣なフェイクニュースです。それを真に受けて、ビリオネアから税金を多くとることを「大衆迎合的な人気とり（ポピュリズム）だ」と非難するのは的外れなのです。

——ビリオネアたちが税金を納めるために保有株式を売ることになったら、少なくとも初年度は株式市場の暴落が起こるのではないでしょうか。

ピケティ 不動産の価格も下落するはずです。いまのパリの不動産価格は異常な高さですからね。価格が下落すれば、いままで不動産や株式とは縁がなかった階層が新しく家主や株主になれます。

マクロンの間違い

——ピケティさんの提言は、フランスのマクロン大統領がこの2年でやってきたことの正反対です。マクロン大統領は完全に間違っているということですか。

ピケティ 連帯富裕税の廃止は大きな間違いでした。あれは非常に効力を持っていた税でした。あれで50億ユーロ（6000億円超）の税収がもたらされていました。連帯富裕税の税収は、1990年の導入以来、GDPの伸びにくらべて2・5倍の速さで伸びていたんです。

それに本来ならこの税収は、もっと大きくできたはずでした。実際に運用する段階で、かなりの取りこぼしがあったんです。

税金を申告する際、給与所得の欄には、あらかじめ額が記入されていましたが、資産の欄はそうなっていませんでした。連帯富裕税があった当時、納税者は自分で税金を申告していたので、資産のところに自分にとって都合のいい数字を書き込めたのです。

——マクロン大統領は、連帯富裕税の廃止を、投資の促進のためだと正当化していました。

ピケティ　その論拠はあやふやです。仮にあなたが200万ユーロ（約2億4000万円）を投資して、家やビルを建てたとします。その場合、あなたは不動産税と（連帯富裕税の廃止にともなって導入された）不動産富裕税を払います。

しかし、仮にあなたがその200万ユーロで生命保険や地球の裏側の金融商品を買ったら、税金はいっさいかかりません。これは完全にバカげた話です。

連帯富裕税の廃止の目的は、ただ単純に、超富裕層に対する税金免除でしかありません。

「万人が遺産相続できる仕組み」

——ピケティさんは資産への課税を提言されていますが、その提言に独創的な案が含まれています。資産への課税を実施して、その税収を財源にして、国民に一律に資本を交付するという構想です。これは具体的には、どういうことなのでしょうか。

ピケティ　現状では、遺産を相続するフランス人は国民全体の半分でしかありません。だから、「万人が遺産相続できる仕組み」を考案してみたんです。

25歳になったら誰でも一律に12万ユーロ（約1500万円）の資本を支給されるという仕組みです。12万ユーロといえば、フランス人の平均的な資産額の60％です。

これを元手にして住宅を購入できる人もいるはずです。これまで社会は「家賃を払う側」と「家賃を受け取る側」に分断され、その分断がしばしば世代を超えて、まるで遺伝のように続いてきています。

この資本の一律支給が実現できれば、起業を奨励できますし、従業員が勤め先の会社に資本参加しやすくなります。

経済格差をなくすには教育格差解消から

——第三の提案として、教育の分野が格差拡大との闘いで重要だと主張されています。

ピケティ　１９９０年代以降、経済成長が半減してしまったのはなぜなのか。私見では、教育への投資が充分でなかったことに目を向けるべきです。

先進諸国では、学生の数が大幅に増えたのに、政府が教育に支出する額が増えていません。フランスの高等教育の予算は１００億ユーロ（約1兆２０００億円）です。それに連帯富裕税の税収50億ユーロを加えられていたら、学生１人当たりへの投資額があれほど下落してしまう事態を避けられたはずでした。

それからパリ中心部の高校のほうが、パリ郊外のセーヌ＝サン＝ドニの高校より国家から投入される公金が多いというのは正常なことなのでしょうか。

裕福なパリ中心部の高校には、経験豊富な正規教員が揃っていて、当然、給料もいいのに対し、貧しいパリ郊外の高校は契約の教員が多いのです。ここには目を疑ってしまうほどの偽善があります。

左派政治の立て直しに必要なこと

――「私有財産の社会化および時限化」「25歳の若者への一律の資本支給」「労使共同決定」「教育格差の是正」……。これだけでもフランスの左派政党の政治綱領になりそうです。

左派政党の変質
「上位10%の高学歴層の左派政党支持率」から「下位90%の低学歴層の左派政党支持率」を引いた差

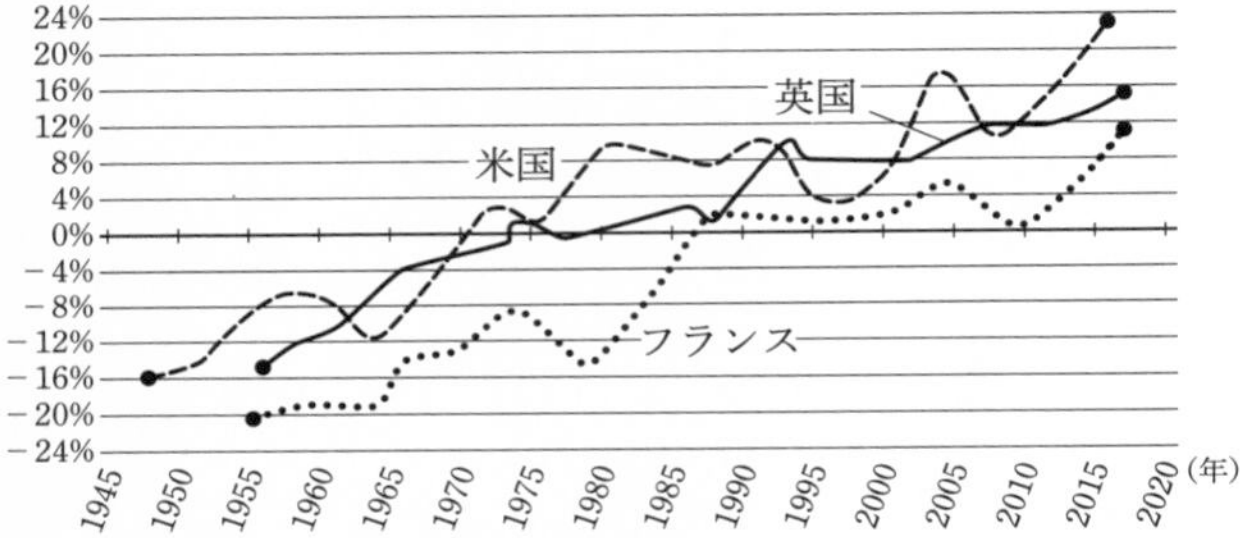

かつて左派政党は労働者の政党だったが、それが徐々に高学歴者の政党に変わっていった。同様の現象はドイツやスウェーデンでも見られる。原因は、「学歴は個人の努力を反映し、低学歴は自己責任である」という超能力主義のイデオロギーが左派政党内に生まれたことだ。庶民階層にとって学歴の取得は簡単ではない。庶民階層の有権者は、見捨てられたと感じ、反エリートの政党を支持するようになった。

しかし、これは一国だけでできるのでしょうか。それとも複数の国で協力して取り組むべきでしょうか。

ピケティ　一国だけでできることも、複数の国で協力してできることも、たくさんあります。ドイツ、スウェーデン、オーストリアでは半世紀前から、企業で労使が議決権を分かち合っており、それがうまく機能しています。そこを出発点にして、もっと先まで踏み込んでいくべきです。

課税のための財産台帳を作るべき

――「資産への課税」や「資本の一律支給」はどうでしょうか。

ピケティ　連帯富裕税は、うまく機能していたので、あれを再導入することは、さほどたいへんなことではありません。再導入するのであれば、申告の際に、当局があらかじめ資産の額を記入する形式にすべきです。

とはいえ長期的には、貿易や国際的な資本移動に関しての国際協調が必要です。そうすることで、税制の面でも、気候変動対策の面でも、不公正を正していけます。

EU内の合意を含めて、非難すべき合意はあります。資本が国境を越えて自由に移動できるようにするのなら、まずは国際的な情報共有の仕組み、それから租税や規制に関してしっかりと効率的に国際協調できる仕組みが必要です。

つまり、資本が自由に移動する国々では、課税のための財産台帳があるべきなのです。それができれば租税の不公正を正しやすくなりますし、経済の超金融化にも抗することができます。ですから、既存の条約から離脱して、すぐさま代案を提示すべき場合もあるはずです。

格差が解決しなければ環境問題も解決しない

――新著では、環境保護に関する話は控え目です。なぜ気候変動の課題をテコに現状を変えていこうとしないのですか。

ピケティ　環境問題を解決するには、経済モデルを変えていかねばなりません。ただ、環境保護の旗を振っていれば充分というわけではないのです。システムをどのように変えるつもりなのか。財産に関しては、どのような仕組みを導入したいのか。株主や従業員に、それぞれどのような権力を与えるのか。租税の不公正をどのように正すのか。

こうしたことについて、環境保護活動家のメッセージは、しばしば曖昧です。おまけに環境保護を掲げるフランスの政党「ヨーロッパ・エコロジー＝緑の党」の半数が、マクロン大統領の政党「共和国前進」に加わり、連帯富裕税を廃止させたという経緯もあります。

マクロン大統領は炭素税の増税を試みましたが、（「黄色いベスト運動」が起きて）増税を中止しました。この失敗が示すのは、まずは格差を縮小しなければ、気候変動の問題を解決できないという現実です。

庶民階級や中産階級に努力を求めるなら、まずは富裕層が最低でも同程度の努力をしている証拠を示さねばなりません。

ところがマクロン政権の租税政策を見ると、要するに連帯富裕税の廃止で足りなくなった財源を確保するために、炭素税の増税を決めて、結局「黄色いベスト運動」を引き起こしたわけです。公正な環境保護政策を作り出す可能性を抹殺するようなやり口でした。

資本主義を乗り越えたい

——ピケティさんは、「資本主義を乗り越える」とおっしゃっています。なぜ「乗り越える」という言葉を使うのですか。単に「資本主義を脱却する」とかではダメなのでしょうか。

ピケティ　私は「乗り越える」という言葉を、「脱却する」「廃止する」「代替する」といった意味で使っています。

ただ、「乗り越える」という表現にこだわるのは、そっちのほうが、代わりのシステムについて議論すべきだということを少しだけ強調できる気がするからです。

ソ連崩壊後、資本主義の廃止を論ずるのであれば、その代わりにどんなシステムを樹立するべきなのか、長く、細かく、議論しなければなりません。私はその議論に貢献したいと考えているのです。

エステル・デュフロ
すべての問題の解決を市場に任せることはできない

「一番注目すべきなのは『経済成長』ではなく、『貧しい人びとの収入や教育』です」

左は夫のアビジット・バナジー。右がデュフロ。
Photo : Jim Davis/The Boston Globe/Getty Images

Esther Duflo : « Las máquinas no enferman. Temo que esta crisis lleve a una mayor automatización » El País 20/5/25
ノーベル賞経済学者「コロナ後の恐慌を避けるには人々の収入を守るべき」（COURRIER JAPON 20/6/18）

Esther Duflo　１９７２年、フランス・パリ生まれ。米マサチューセッツ工科大学教授。２００３年、夫でインド出身のアビジット・バナジー同大教授と「アブドゥル・ラティフ・ジャミール貧困アクションラボ（Ｊ－ＰＡＬ）」を設立し、フィールド実験を駆使した政策評価をおこなっている。このランダム化比較実験（ＲＣＴ）は政策研究に大きな変化をもたらしたと評価され、２０１９年に史上最年少でノーベル経済学賞を受賞。２０１０年には「フォーチュン」誌が選ぶ、最も影響力の高いビジネスリーダー「40歳以下の40人」にも選出されている。著書に、『貧困と闘う知』（みすず書房）がある。

２０１９年に「世界の貧困削減に向けた、実験にもとづいたアプローチ」が評価され、ノーベル経済学賞を受賞したエステル・デュフロ米マサチューセッツ工科大学（ＭＩＴ）教授。

貧困問題と開発経済学の専門家であるデュフロは、数々のフィールド実験を通して、開発途上国の貧困対策に関する実証的な政策評価をおこなってきた。新著『絶望を希望に変える経済学』（日本経済新聞出版）では、夫でもある共著者のアビジット・バナジーＭＩＴ教

授とともに、先入観にもとづいた経済理論に反論している。

スペイン紙「エル・パイス」がインタビューをおこない、貧困問題や新型コロナウイルス感染症（COVID-19）の経済への影響、今後の労働市場について聞いた。

コロナ後の経済復興は安心感がカギ

――パンデミックのせいで経済は急激に悪化しました。回復は、同じくらい急速というわけにはいかないのでしょうか。そのような期待をする人はほとんど見受けられません。

デュフロ　まず経済回復の速度は、新型コロナウイルスがいつまで人びとの間に留まるか、生産・消費・交流の方法をどのくらい変える必要があるか次第です。この調整にはしばらく時間がかかります。

またワクチンや有効な治療薬が見つかるまでは、経済の完全な回復は見込めません。ただワクチン開発には相当な努力と資金が費やされていますから、18ヵ月もあれば開発されるのではないかと私は楽観視しています。

ワクチンが開発されれば、見通しは明るくなるでしょう。

今回の危機が、２００８年の金融危機や１９２９年の大恐慌と大きく違うのは、金融システムによってもたらされた危機ではないという点です。新型コロナによる経済危機は、どちらかというと自然災害や戦争に似ています。そして戦後の復興というのは、たいへん早いことがわかっています。第二次大戦後のドイツや戦後のベトナムで見た通りです。

人びとが家から出ても大丈夫だと感じ、経済的安定を信頼できるようになれば、経済は回復に向かうでしょう。

恐慌を避けるためには人びとの収入を守るべき

――「景気後退」はどうなると「恐慌」になるのでしょうか。また「景気後退」が「恐慌」になるのを防ぐには、どうすればいいのでしょうか。

デュフロ　メリアム＝ウェブスター社の英語辞典にトルーマン大統領のものだとされる次のような言葉が引用されています。

「景気後退（リセッション）とは、隣人が失業したときのことで、恐慌（ディプレッション）とは、自分が失業したときのことを指す」

「恐慌」とは「景気後退」が深刻化し、雪だるま式に悪化した状態のことを指します。

これを避けるには、人びとの収入を守ることが重要です。またそれ以上に重要なのが、今後も収入を維持できると人びとが実感できるようにすることです。

先進国は、景気刺激策に巨額の財政出動をおこなっています。米国はGDPの約10％に相当する額の出動を決めました。けれどもその一部が、救済された企業、たとえば航空会社のような企業の株主に渡るリスクもあります。こうしたことは需要が落ち込んでいるときには、経済の役に立ちません。

必要なのは、できる限り人びとの雇用と収入を守ることです。これを断行したデンマークは、経済再開の際に、よい出発点に立てるでしょう。

コロナ後の経済秩序は途上国のチャンス

——構造的な変化、あるいは長期にわたる変化は見られるでしょうか。経済の新秩序が形成されるのでしょうか。

デュフロ　欧米の貿易のあり方については多くの議論がなされています。私たちは『絶望を希望に変える経済学』で、貿易が個人の生活に及ぼす影響を批判しました。ですが今回の危機については、なぜ貿易のせいにされるのか、いまだに理解できません。

昔に比べ、人びとの移動は明らかに増えました。もし誰もどこにも行かなければ、パンデミックがグローバルなものにはならなかったでしょう。これは人の動きと関係することで、商品の動きとは関係のないことです。

中国産に頼るのではなく、もっと国内で供給ができていれば、人工呼吸器やマスクは不足しなかったはずだと考える人たちもいます。

ですが、中国は当初こそ輸出制限をおこなったものの、その後は製品を増産し、世界中に供給しました。右記の見解はこの事実を忘れています。

逆を考えてみましょう。もし各国が自国の工場だけに頼っていたら、国民の間に病気が広がったときにどうなるのでしょう。そのときに国際的なサプライチェーンがなかったら、どうでしょうか。

問題は、ビジネスのあり方ではありません。そうではなく、これまで各国が予算を削減しようとして、コロナ危機のような事態に備えていなかったことです。

企業は今回、仕入先を1ヵ国に集中させる危険を学んだと思います。今後は仕入先を分散させるようになるでしょう。これは中国のような国に対抗するのが難しい開発途上国にとって、大きなチャンスです。少しの支援さえあれば、国際市場に参入し、多くの商品を供給して、自分たちの力を証明することができるでしょう。正しい支援があれば、国際市場への参入を手助けできます。途上国にとっては経済成長の大きなチャンスです。

機械化と同時に労働者の保護を
——労働のあり方は今後どのように変わるのでしょうか。

デュフロ　コロナ危機によって、企業の経営者が機械化を進めるのではないかという懸念があります。企業はコロナ以前から、人間より機械のほうが適しているわけではない場合でさえ、その可能性にかけようとしていました。

税制面で優遇されるうえ、機械は労働組合も作らなければストもしませんし、病気にもなりません。多くの企業が労働者より機械を選んでいます。ですが、失われた仕事の分だけ新たな労働が生まれるわけではありません。

企業幹部や株主が労働者に不利なかたちで機械化を進めることを危惧しています。この流れを止めることは、できないかもしれません。けれども少なくとも労働者が変化に適応し、新しい仕事を見つけるのを助けることはできるはずです。

ベーシック・インカム導入のための支援を

——貧困との闘いはどうなるのでしょうか？

デュフロ　さいわい新型コロナウイルス感染症の致死率は、当初の懸念ほど高くはありませんでした。けれども途上国の貧しい人びとは、この危機のなかでもとりわけ弱い立場にあります。飢餓状態に追い込まれていることが多く、抜け出すのが困難な貧困の罠にもかかりやすいです。今回の危機は、数十年分の開発の成果を帳消しにしてしまうかもしれません。

『絶望を希望に変える経済学』で私たちはベーシック・インカムを支持しました。多くの国がベーシック・インカムの支給に向けた準備をしています。たとえばトーゴは、人口800万人のうち50万人にベーシック・インカムを支給する政策を数日で打ち出しました。

もっと対象者を広げて支給を継続するには予算が必要ですが、財源がありません。先進国はこうした面で支援できるはずなのに、いまは自分たちの問題で手一杯です。支援策を講じられるようになるためにも、コロナの収束を願っています。

経済学で世界は変えられる

——あなたはもともと歴史学を専攻していましたが、なぜ経済学に転向したのですか。

デュフロ 経済学のほうが役に立つと思ったからです。世界を変えることや政策設計に協力することに関心があったのですが、その目的を果たすうえで歴史学は、近道に思えなかったのです。

——いまも経済学で世界を変えられるとお考えですか。

デュフロ それを試みています。仕事を通して世界を変える、あるいは少なくとも人びとの生活を変える機会を得ました。人びとが抱える問題に取り組む、より良い政策を通じて、多くの人に影響を与えることができました。

――歴史家は世界を変えられないと示唆したことで歴史家が怒るのでは？

デュフロ　歴史家は、歴史認識を形成するというきわめて重要な役割を果たしています。その仕事もまた世界を変えるものです。ただ、あまり直接的ではありません。私はもっと近道をしたかったのです。

少しの支援で貧困は改善できる

――貧困との闘いは、ここ数十年で大きく進展しました。さらなる貧困の改善には、先進諸国が想定していないレベルの犠牲が必要になるのでしょうか。これ以上の改善は無理だという限界に達することはあると思いますか。

デュフロ　そうは思いません。まず、貧しい人たちというのは、持っているお金があまりにも少ないため、彼らをいまよりほんの少し豊かにするのはたいしてたいへんではないのです。世界経済が少し良くなるだけで、彼らが貧困から脱する可能性があります。

持続可能な開発目標の一つである「極度の貧困の撲滅」は２０３０年までに達成できるはずでした。ところが、今回のパンデミックと世界的不況のせいで、達成されないかもしれません。

たとえ達成されたとしても、さらなる目標を立てることになり、貧困との闘いは永遠に終わらないかのように思われるでしょう。

1日1ドル以下で生活する人がいなくなれば、今度は1日2ドル以下で生活する人をなくし、さらに1日5ドル以下で生活する人をなくしていかなければなりません。「貧困」の定義はとても自然に進化していくのです。

正しい支援には実態の把握が不可欠

――あなたは実証実験によるアプローチを経済学に取り入れ、それによって、論理的に見えてじつは現実にそぐわない既成概念のいくつかを覆しました。

デュフロ　はい。たとえば、ある家族を支援すると、その家族は以前より働かなくなるという見方がありました。追跡調査の分析で、これは事実ではないことがわかりました。

また、ある貧しい家族に1頭の牛を与えたとします。するとその家族はまず、その牛の世話をするなどして以前より働くようになります。バッグを生産する機会を与えれば、彼らはより良い、丁寧な作りで、できるだけ失敗のないバッグを生産するようになります。

つまり、貧しい人びとに何かを与えても、彼らは怠けません。生産性が向上するという安心感を与えられ、福祉につながるのです。

——データより理論のほうが、説得力があると思われがちなのですね。

デュフロ　地道に取り組むことです。一つの研究結果だけでは、人の考えを変えることはできません。けれども証拠が蓄積すれば、効果は出てきます。

マイクロクレジット（註：貧困状態にあり通常の融資が受けられない人びとを対象とした少額融資）のケースを見てください。人びとは当初、マイクロクレジットというアイディアをたいへん気に入りました。そしてマイクロクレジットは、それほど素晴らしいものではないことを実証した最初の研究はあまり真剣に受け止められませんでした。けれども同じ結果を示す研究が８つか９つ発表されると変化が見られました。

だからといってマイクロクレジットのすべての運用を取りやめるわけではありません。ただそれをより効果的なものにするのです。

すべての問題を市場原理にまかせてはいけない

——著書のなかに、同性カップルにウェディングケーキを売るのを拒否した洋菓子店の話があります（註：２０１２年コロラド州デンバーで実際にあった事件）。多くの顧客がその店のホモフォビア（同性愛嫌悪）を嫌がり、店から離れていきましたが、同時に店は一部の集団からは人気を博しました。このエピソードで何を説明しようとしたのですか。

デュフロ　理論上は「差別主義者は市場で生き残れないので危惧する必要はない」となるかもしれません。しかし実際はそうではありません。同性愛者がこの店で買うのをやめても、キリスト教右派などがその埋め合わせをするからです。

つまりすべての問題の解決を市場に任せることはできないのです。誰かを差別したいと思っている消費者がいれば、それを利用する企業は必ず存在し、差別が助長されることになります。

中国モデルは応用できない

——どんな途上国にも万能なモデルはないようですが、中国のモデルを採用することはできないのでしょうか。

デュフロ　中国は完全に特殊なケースです。条件も特殊なら、そもそも中国モデルとは何かもはっきりしていません。中国をお手本に、何をしようというのでしょう。文化大革命を起こして、飢餓が発生しているときに5000万の人びとを殺害するのでしょうか。

中国を模範にすべきでないことは明らかです。毛沢東時代は飛ばして、その後からはじめなくてはならなくなります。ある国に「中国のようにやりなさい」と言ったところで、それが何を意味するのかはっきりしません。

また、たとえ中国でうまくいった要素だけとってみたところで、それが他国でもうまくいく保証はありません。経済学者たちは、経済全体に影響を与える方法はわからないという結論に達したように思います。

『絶望を希望に変える経済学』で私たちは、経済成長が人びとの福祉になるわけではないと主張しています。貧困問題で、一番注目すべきなのは「経済成長」ではなく、「貧しい人びとの収入や教育」です。その改善に注力すべきです。

政治の力で人びとの福祉の向上を

――あなたの分析の一部は政策に焦点を当てていて、ダロン・アセモグルとジェイムズ・A・ロビンソンの著書『国家はなぜ衰退するのか』（早川書房）を想起させます。本書は、権力・繁栄・貧困にかんして、重要なのは天然資源でも地理的条件でもなく、政治だと結論づけています。あなたも同じ意見でしょうか。

デュフロ　はい。ジェイムズ・A・ロビンソンは同僚であり、友人です。アセモグルもロビンソンも歴史家で、2人はより長期的な視点で考えています。どのようにして歴史が政治制度に影響を与え、どのようにして政治制度があらゆるものに影響を与えるか……。

一方、私たちの仕事は「受け継いだ歴史的制約のもと、できることはなにか」というものです。各国には、それぞれに政治的限界があります。けれどもそのなかで、できることはたくさんあるのです。

――政府の行動は経済成長にとって、実際にはさほど重要ではないとも言われます。

デュフロ　経済成長にとっては、それほど重要ではありません。経済成長は独自の力学に従う傾向にあり、市場をはじめ多くの要素が絡んでいます。

株価が暴落に向かっているときに、それを防ぐため政府にできることはあまりありません。経済成長も、政治ではそれほどコントロールできません。先進国でも途上国でも同じです。ですが、人びとの福祉は政治次第なのです。

第４章　アフター・コロナの哲学

マルクス・ガブリエル
世界を破壊する「資本主義の感染の連鎖」

「私たちは皆、他者の苦しみに責任があるのです」

Photo : Leonardo Cendamo/Getty Images

Markus Gabriel : « El virus se quedará allí hasta que encontremos una manera sostenible de hacer negocios » El País 20/5/2

マルクス・ガブリエル「私たちは今、シミュレーションを生きている」（COURRIER JAPON 20/6/13）

Markus Gabriel　1980年、ドイツ・レマーゲン生まれ。現在、ボン大学教授。後期シェリング研究をはじめ、古代哲学における懐疑主義からヴィトゲンシュタイン、ハイデガーに至る西洋哲学全般について多くの著作を執筆。彼が唱える「新しい実在論」は、ポスト構造主義以後の新しい哲学として世界的に注目されている。主な著書として、『なぜ世界は存在しないのか』『「私」は脳ではない』（いずれも講談社選書メチエ）。

私たちが「新しい日常」を生きるとき、そこにはどんな変化が待ち受けているのか。世界で注目を浴びる若き哲学者マルクス・ガブリエルは、現在取られている例外的措置が「フィクション」に基づいて下されていることを指摘し、ロックダウンが解除されても再び発令されることになるだろうと予想する。さらに真の脅威は、この状況を利用したドナルド・トランプの再選だと断言する。

スペイン紙「エル・パイス」がおこなった、ガブリエルとのインタビューを掲載する。

ドイツ人哲学者のマルクス・ガブリエルは、「思想の泉」ならぬ「思想の滝」のような存在だ。その滝を流れる思想は、互いに衝突し合ったりもする。
ボン大学にある国際哲学センターの所長を務める彼は、何よりも現代を、社会政治的現状を、そして今となっては崩れてしまった社会のパワーバランスを、よく捉えている思想家だ。
新型コロナウイルス感染症（COVID-19）の危機が世界にもたらす変化を理解・整理するために今、哲学が必要とされている。そんな状況で、ガブリエルはこう考えている――新型コロナウイルスは、私たちが今後、共存しなくてはならない一連の危機の「はじまり」でしかない、と。
それと同時に、彼はこれまでの非持続的なシステムを変革することで、新たなモラルが生まれるだろうとも推測している。

世界を破壊する「資本主義の感染の連鎖」

――このパンデミックを経て、社会はより良く、より倫理的なものになると考える人たちがいる一方で、人類はこれまでと変わらず凡庸で、自己中心的であり続けると考える人たちもいます。

ガブリエル　私は、今回の危機を「生態系の危機に対する訓練」のようなものだとみており、社会はより倫理的なものになると思っています。

この危機は、生態系の危機に比べたら何でもありません。各国政府は、生態系が危機に瀕し、今後１００〜２００年のあいだに数十万人の命が奪われること、そしてそれが真の危機であることを知っています。

なぜなら気候変動の予測モデルは、新型コロナウイルスのそれより正確だからです。気候変動についてはもう50年も研究の蓄積があり、データも豊富です。ＥＵでは新たなグリーン・ディールの必要性を訴える声も聞かれるようになっています。

今後、私たちは世界経済の新たなモデルをみることになり、それはグローバリゼーションとは異なるものになるでしょう。

——では、それは何と似たものになるのでしょうか。

ガブリエル　もう過去に引き返すことはできません。生産チェーンはすでに破壊されています。それは企業の経営者、たとえばドイツの自動車会社の経営者たちが、その存在を望んでいる、ただそれだけの理由で存在しているにすぎないのです。

そんな企業の経営陣も、現在はほかの人びとと同様に、ウイルスの脅威にさらされています。莫大な富を持つ彼らは通常、自分たちの健康に関して神経質です。そして今、彼らはあらゆることが、もはやこれまで通りではないことに気づいています。中国に目を向けるだけで、この国が信頼できるパートナーでないことがわかるでしょう。

中国は、過去に受けた仕打ちの報復に出ています。私たちは中国と新たな交友関係を築く方法を見つけなければなりません。そしてそれは、グローバリゼーションや不当な扱いを通したものであってはなりません。

欧州の企業はなぜ、中国に工場を構えているのでしょうか。それは、彼らが払う賃金を安く抑えるためです。

——「資本主義の感染の連鎖を断ち切らなければならない」と、あなたは主張しています。これはどういうことですか。

ガブリエル　日常の買い物——たとえば子供のおもちゃや、鎮痛剤、車などを買ったりするとき、こうした商品の生産チェーンのせいで、多くの場合、誰かが犠牲になっています。私たちは皆、他者の苦しみに責任があるのです。

互いにつながったチェーンが邪悪なシステムを築き、チェーンの末端には、清潔な水がなかったり、作物が不作だったり、あるいは搾取されたりした結果、命を落とす人がつねにいます。これが、モラルに反した行動がもたらす、感染の連鎖です。一つの病ともいえます。

モラルに反した行動は、世の中を悪くします。グローバルな新自由主義は、世界を猛スピードで破壊するものになってしまったのです。

――それは今後、変わりうるのでしょうか。

ガブリエル　コロナ前の生活を考えると、今となっては考えられないくらい、せわしないものでした。そのあり方は悪であり、それがロックダウンでストップしたのです。

現在、私たちはやることが減ったというだけで、より倫理的な生活を送っています。これが、妙なことにこの新たな状況を心地よく感じている理由の一つです。

「高齢者を守っているのだ」という一種の連帯感があり、その感覚は人を良い気持ちにさせます。それと同時に、私たちは他者に害を及ぼすさまざまな活動を停止していて、そのことを意識下で感じ取っています。ウイルスの脅威を感じつつも、すべてがストップした今、一種の安堵感を覚えているのです。

もしかつての日常に戻れば、新たな感染の波を見ることになるでしょう。そしてウイルスは、私たちが持続可能なビジネスのやり方を見つけない限り、そこにいつづけます。

すべてが「フィクション」に基づく判断

――あなたは戦争を思わせる表現を拒否しています。新型コロナウイルスとの戦いは、戦争に似ているとは思いませんか。

ガブリエル　これは明らかに戦争とは異なります。軍隊もなければ、テロリストもいません。国家を攻撃しているような相手もいません。

ウイルスは敵ではありません。ウイルスからすれば私たちは〝友達〟であり、〝レストラン〟であり、〝売春宿〟です。ウイルスは私たちの体に侵入し、増殖する。攻撃もなければ、これといった意図もありません。

戦時下にあるようなことを根拠に例外的措置を正当化するのは、政治的なまやかしです。

――戦争にも法や制約があります。パンデミックとの戦いにおける法や制約はどこへ行ったのでしょうか。

ガブリエル　欧州諸国の対応には、共通点があります。

これは例外的な状況であると定め、人びとは政治理論および根本原理から考えて、すべては一時的な措置であると理解します。私たちが民主主義に認める価値の「一時的な中断」なのだと受け止めます。

私たちは、民主主義が命すらも差し置いて自由を優先することに価値を認めています。「法の支配」は、虐げられて生きるくらいなら死んだほうがましだと考えた英雄たちが起こした革命によって確立されました。

けれども今、私たちは民主的な法治国家の制度が、これとは逆の決断を下すために使われているのを目にしているのです。

自由よりも、命や生き延びることに価値が置かれています。今ほど私たちの自由が制限されたことはありません。これは一時的なことです。けれども、この状態がいつまで続くのか、誰も教えてはくれません。

——ほかにどのような選択肢があるのでしょうか。

ガブリエル ワクチンができるという保証もなければ、このウイルスの正確な致死率も把握されていません。各国政府が、ここまで慎重なのは不確実性のためです。

各国政府は、楽観的なシナリオを想定するのはリスクが高すぎるので、状況の悲観的な解釈に頼っています。

現在のジレンマは、取られている措置が「事実」ではなく「フィクション」に基づいている点です。なぜなら、このウイルスに関する事実がわからないからです。いくつかの可能性は、ウイルス学やコンピュータ・シミュレーションのおかげで把握されています。

私たちは、シミュレーションを生きているのです。

アメリカのSNSを閉鎖しよう

——ウイルス学者たちがいまでは最高権威となっていますが、ドイツ政府はさらに学際的なチームの意見にも耳を傾けています。各国のリーダーはこんにち、どのようにして決断を下すべきなのでしょうか。

ガブリエル パンデミック後の新しい社会のあり方を見出すには、学際的な研究が必要です。それがより持続可能な未来に繋がるはずです。

中国、アメリカ、EUの役割を研究する政治学はどこへ行ったのか。欧州の社会民主主義はどうなっているのか。ドイツのショルツ財務相が、イタリアやスペインの財務相を裏切るとはどういうことなのか……。

社会学者、フェミニスト、ダイバーシティの専門家、経済学者、ジャーナリスト、哲学者、歴史家、文学者などが、この災禍の受け止め方を分析する必要があります。たとえば、それはリスボン地震に似ているのか、それとも津波のようなものなのか、といったようにね。

私は楽観的なほうですが、人文科学の専門家も引き入れたうえで、未来の計画を立てていかない限り、それが良いものになる可能性は減ります。

――ジャーナリストにも言及していましたが、この危機は多くのメディアを存続の危機に追いやりました。これは、社会にとって何を意味するのでしょうか。

ガブリエル この危機で、より多くの人がテレワークをするようになったのは明らかです。つまり、「アメリカへの依存度が増した」ということです。欧州の人びとはアメリカに付加価値を与えているわけです。

私たちはズームやスカイプで会議をし、フェイスブックやネットフリックスを利用していますが、これらのいずれも欧州企業ではありません。

合理的な対策の一つは、ＥＵではアメリカのソーシャルメディアを閉鎖し、その代わりに良質のジャーナリズムに基づいた欧州のネットワークを構築することです。

たとえば、「エル・パイス」のソーシャルネットワークを構築する。つまり、ソーシャルネットワークのすべての利点を備えつつ、プロのジャーナリストが管理している、というものにするのです。

マイケル・サンデル
能力主義の闇

「成功者は、ほんとうに自分の実力だけで成功したのかを問い直さなければなりません」

Photo : Colin McPherson/Corbis/Getty Images

Michael J. Sandel : « Los triunfadores tienden a creer que su éxito es obra suya » El País 20/9/12
マイケル・サンデル「バイデンが大統領選で勝っても、根本的な問題は消えない」(COURRIER JAPON 20/11/1)

Michael J. Sandel　1953年、アメリカ生まれ。ハーバード大学教授。専門は政治哲学。共同体を重視するコミュニタリアニズムの代表的論者として知られる。正解のない究極の難問を題材に、公共の正義とは何かを考える。ハーバード大学の超人気哲学講義をまとめ、ベストセラーとなった『これからの「正義」の話をしよう』（早川書房）や、『公共哲学』（ちくま学芸文庫）、『それをお金で買いますか』（早川書房）など。

分断された今の社会に必要なのは、政治を変える以前に、「エリートたちが謙虚さを養う」こと――ハーバード大学の政治哲学者マイケル・サンデルが語った。

ボストンはどしゃ降りの雨だった。哲学者マイケル・サンデルとのインタビューは、新型コロナ感染予防のため密閉空間を避けて彼の自宅の庭でする予定だった。しかし、前もって言われていたように、雨だったら場所を変更するしかない。

サンデルは午前中、オンライン授業で忙しい。だから、屋外だけれども雨に濡れずにすむ、代わりの場所を探すのは、ジャーナリストの私の役目となった。私が思いついたのは、「ハーバード大学カーペンター視覚芸術センター」の無機質なコンクリートのベンチくらいだった。この建物は、ル・コルビュジェの北米唯一の建築で、ベンチはカーブを描くスロープの下にあった。

サンデル教授は、名門のハーバード大学の教室でも、数百万人がYouTubeで視聴する正義についての講義動画でも、聴衆の先入観を吟味するソクラテス式問答法を実践することで知られる。私の場所のチョイスについては「いいところを思いつきましたね」と言ってくれた。

「心に響きそうですよ。記憶に残る気がします」

サンデルの新著『メリトクラシーの暴政』(未邦訳)は、ここ数十年の革新派の政治を率いてきた人物たちにとって「心に響く」というよりも「耳が痛い」内容だ。サンデルに言わせると、革新派の政治家がグローバル化に対応するにあたってメリトクラシー(能力主義)の文化を持ち上げてしまったせいで、労働者階級の人びとが当然のごとく怒りを抱き、それが今回のパンデミックへの対応も含め、惨憺たる結果を招いてしまったという。格差が拡大し、社会移動が停滞するなか、「誰でもトライすれば成功できる」という呪文を唱える罠にはまってしまったわけだ。サンデル教授に言わせれば、能力主義の文化は、勝ち組を傲慢にし、置いてけぼりにされた人たちに対して優しさを示さない社会を作ってしまったという。見下された人びとの不満と怒りから世界各地でポピュリズムの抗議運動が起き、それがトランプ政権を出現させたというわけだ。サンデルが提言するのは、成功と失敗の概念を再考することだ。社会が分断され、人びとがそれぞれの狭い世界で暮らすようになっているが、謙虚な姿勢をつらぬくことで、民主主義の経験をともに分かち合えるようになるはずだと語る。

世界的に人気が高いサンデル教授は、いわば思想界のロックスターである。オリエンタル柄のマスクを装着して現れると、優しく親しみやすい雰囲気でル・コルビュジェのコンクリートですら少しだけやわらぐかのようだった。

勝ち組はすでに社会的距離を確保していた

——パンデミックに対応する心構えが整っていなかったと指摘されています。どういう意味ですか。

サンデル　かつてないほど社会が分断され、バラバラになっているときにパンデミックに襲われたからです。市場を重視する新自由主義的なグローバル化が40年続き、格差はとんでもなく大きくなっていました。成功と失敗に関する社会の見方のせいで、勝ち組と負け組の間に深刻な分断もできていました。パンデミックでは、私たちがお互いを必要としており、高いレベルでの社会的連帯が必要だということを再認識させられました。しかし、社会に深い分断があったので、連帯心を発揮してパンデミックに効果的に対処することはできませんでした。初めの頃、「みんなで一緒に力を合わせよう」といったスローガンが連呼されていましたが、みんなで一緒に力を合わせたわけではありませんでした。ウイルスが広まっていくにつれ、最も多くの負担を強いられている人たち、より大きな犠牲を払っている人たち、最も多くの人命を失っている人たちというのは、過去40年間の経済発展のなかで置いてけぼりにされた人たちだったことが、だんだんと明らかになっていきました。

――グローバル化で勝ち組になっていた人たちは、ある意味、パンデミックの前から社会的距離を確保していたといえますよね。

サンデル　そうなのです。グローバル化で勝ち組になった人たちは、パンデミックの前から、大勢の人が集まる場所や公共サービスの場、民主主義国の市民として集う公共空間に姿を見せなくなっていました。その意味では、すでに社会的距離を確保していたのです。学校や公共交通機関、文化施設やレクリエーション施設などの普段の生活の場で、異なる階級の人びとが同じ場所に集まる機会がどんどん減っていました。

中道左派は労働者の承認欲求に気づいていなかった

――新自由主義的なグローバル化が推し進められた結果、エリートへの反発が高まり、それがトランプなどのポピュリズム運動の基盤になっていると指摘されています。けれども、こうしたポピュリズム運動をよりよく理解するには、エリートたちが、繁栄から置いてけぼりになった人たちを見捨てた事実を押さえることが大事だとのことですが、それはどういう意味ですか。

サンデル　人に対する態度を変えるのは、資産格差の問題をどうにかするのと同じくらい重要です。社会の頂点に立った人は、自分が成功できたのは自分の実力だと考えがちです。実力で成功したのだから、市場社会が成功者に配分するものを受け取って当然だと考えるのです。それは置いてけぼりになった人たちは自業自得だとみなす見方にもなります。

エリートから、そんな風に見下されれば、労働者階級の人びとの怒りと不満が大きくなるのは当然でした。正当でもありました。ただ、その怒りと不満を利用するために、人びとの最悪の感情に働きかけた政治家がいたのです。外国人嫌悪や超国家主義といった醜悪な感情に働きかけ、トランプの場合はそこに人種差別が追加されました。トランプなどの発言が醜いせいで、トランプなどを支持する人たちの訴えが正当だということになかなか気づけていません。

――主要政党、とりわけ中道左派の政党が、人びとが抱えるこの正当な不安を感じ取れていなかったのですか。

サンデル　人びとの不満や怒りの文化的な要因に気づけていませんでした。労働者の高まりゆく怒りと不満の声が耳に入っていませんでした。グローバル化の唯一の問題点は、勝ち組から負け組への所得再配分が不充分なだけだとみなしていたところがありました。しかし、これは単に正義と再分配の問題ではないのです。これは社会から承認されたい、社会的に尊重されたい、という問題でもありました。

――能力主義には暗黙のうちに人を見下すところがあったということですか。

サンデル　能力主義は一見、魅力的な思想に思われました。それによるとグローバル化社会で成功するのは、大学の学位を手にし、グローバル経済で競い、勝つための備えをした者、ということになります。ただ、高等教育を受ければ人は出世できると強調しつづけたことには、暗黙の侮蔑もありました。大学の卒業証書がなくて、新しい経済で活躍できていない人がいたら、それはその人の責任だということになってしまうからです。文句を言うなら自分に言いなさい、というような言い草です。もちろん、中道左派の政党は、そんな言葉遣いをしていません。しかし、高等教育を受ければ人は出世できると強調することで発信していたメッセージは、まさにそれでした。米国では成人の3分の2が学士号を取得していない事実を考慮していませんでした。中道左派政党は、暗黙のうちに人を見下していたことに気づけず、いまその代償を払っているのです。

――低学歴者の蔑視は、最も許されてはならない偏見なのでしょうか。

サンデル　低学歴者が、自分たちはアフリカ系米国人よりも差別の被害に遭っていると言うのは正当化できません。アフリカ系米国人は、いまも人種差別と人種隔離政策の負の遺産と闘っているわけですからね。しかし、労働者階級の白人男性は、社会が自分たちを尊重しなくなったと感じているのです。

――ヒラリー・クリントンに「嘆かわしい人たち」と言われていましたからね。

サンデル　その通りです。ヒラリー・クリントンのあの発言は重大な過ちでした。たしかにトランプは「嘆かわしい人間」です。しかし、トランプに投票した人の多くは、正当な不満を表明した人たちでした。革新派は、トランプとその支持者を分けて考えなければなりません。オバマに2度投票した後、トランプに投票した人も多いのです。なぜなら、最初の頃のオバマは、従来の政治とは異なる別の政治をしてくれる政治家だと思われていたからです。

「能力主義の傲慢」に挑む

――成功の意味を再考すべきだということですが、まずどこから手をつけるべきですか。

サンデル　まずは文化からです。人に対する態度を変えるのです。政治ではなくてね。成功者は、ほんとうに自分の実力だけで成功したのかを問い直さなければなりません。もしかしたら、自分が育った地域社会、お世話になった教師、祖国、人生の巡り合わせ、要するに「運」による部分もあったことを忘れていないでしょうか。

人生において好運がいかに重要なのかがわかれば、謙虚な心も持てるかもしれません。いまの問題の一部は、能力主義の仕組みでエリートになった人たちに謙虚な心が欠けているところです。私はそれを「能力主義の傲慢」と言っていますが、その傲慢さに挑むのが重要な第一歩です。

――でも、どうやってそんなことができますか。

サンデル　民主主義国の市民が分かち合う公共空間を作り直さなければなりません。民主主義国に相応しい暮らしに必要な市民のインフラを作り直し、階級が異なる人や生活条件が異なる人と出会えるようにするのです。市民社会を刷新して、活性化させていくのです。自分たちだけの狭い世界を壊して、ともに民主主義を実践していくのです。

――このパンデミックでは、一部のエッセンシャル・ワーカーの仕事の価値が認められました。これが労働の尊厳を回復するための一歩になるでしょうか。
サンデル　その可能性はあります。なぜなら私たちは――なかでも在宅で働ける人たちは、自分は守られていながら、リスクにさらされて働く人たちにどれほど頼っているか、ということに気づかされたからです。配達員や介護士、スーパーマーケットの従業員、清掃員、病院スタッフ。そういった仕事のステータスは必ずしも高くありません。もしかしたら、そうした仕事をする人たちの貢献の社会的価値を考え直すときがきているのかもしれません。
――能力主義はいいものだとされていますが、英国の社会学者のマイケル・ヤングが60年前にメリトクラシーという言葉を造語したときはきわめて否定的な意味合いの言葉でした。なぜこの能力主義の概念が変質していったのですか。
サンデル　面白いですよね。ヤングがメリトクラシーという言葉を初めて作ったのは1958年でしたが、これを理想の仕組みとして描くつもりはありませんでした。最初から、この仕組みの悪い部分が見えていたのです。しかし、やがて政治家たちがこのメリトクラシーという言葉を使うようになり、あたかも能力主義が理想の仕組みであるかのように喧伝したのです。レーガン政権以降、米国では、民主党も共和党も、私が言うところの「上昇のレトリック」を使ってきました。英国では、トニー・ブレアがわざわざメリトクラシーを理想に掲げました。オバマも「トライすればきっとできる」という表現を何度も使いました。人を鼓舞し、人が成功するのを後押しする言葉であるかのように思えたのでしょうが、能力主義の闇の部分が見えていませんでした。私の狙いは、とりわけ革新政党に、そのことを見逃していた事実を気づかせることです。そして、それを理解できない限り、民衆の怒りを利用するポピュリズムに対抗できる政治を用意できないことをわかってもらうことです。

かつてのアメリカン・ドリームは、条件の平等がいきわたっていた

――トランプ政権誕生の前から民主党の支持層は労働者階級というよりは高学歴エリートになっていました。

サンデル　政党の支持基盤の変化は興味深いです。社会民主主義の政党は本来、労働者と中流階級のための政党であり、彼らに支持されていました。従来は、富裕層と高学歴層が共和党に投票し、労働者が民主党に投票する傾向があったのです。それが１９７０〜80年代から変わりはじめ、90年代の時点で、ビル・クリントンとトニー・ブレアが新自由主義的なグローバル化や金融の規制緩和を推し進めるようになっていました。その時点ですでに格差は拡大していたのですが、ビル・クリントンもブレアもそれを気にかける様子があ

りませんでした。中道左派の政党は次第に、高学歴の官僚やビジネスエリートの価値観に自分たちを合わせていき、労働者階級の支持を失ったのです。いまでは大卒が民主党に投票し、低学歴者がトランプに投票しています。教育が米国政治を分断する最大の要因になっています。

——オバマが金融危機に対処したとき、ウォール街に怒りを示すのではなく、ウォール街への怒りを黙らせようとしていたところがあったと指摘されています。

サンデル　オバマはクリントン政権時代に金融業界の規制緩和を進めた経済顧問を呼んで、金融危機に対処しました。根本的な問題を問わなかったのです。民主党政権がウォール街にやさしい対応をしたことに、右派・左派を問わず、多数の人が失望しました。右派の間ではティーパーティー運動が始まり、左派の間ではオキュパイ運動が起こり、最終的にはそれがバーニー・サンダースの運動につながりました。この過ちがオバマ政権の残りの期間に影を落とし、トランプ大統領誕生の道を準備したと思います。

——現時点では、民主党は「自分たちはトランプとは違うよ」としか言っていないように思えます。

サンデル　たしかに、いまとは異なる選択肢として提示されているのは「私たちはトランプとは違います」ということだけです。もちろん、いま私たちが直面している危機のことを考えれば、それだけでも充分に魅力的ですけれどね。助かったという気持ちになれますよね。しかし、それだけでは長期的には、革新派の政治を刷新していけません。

――民主党の大統領候補としての指名受託演説でバイデンは、メリトクラシーについて少し言及しました。「人には、それぞれの夢を、神から与えられた能力が許すかぎり追い求めるチャンスがあるべきです」と言いました。

サンデル　それは昔から使われてきた言葉です。それ以上のことを言わないと、グローバル化から取り残された人たちに効果的に話しかけられていないという民主党の問題を克服できません。

――才能さえあれば出世できるという「社会移動」の観念はアメリカ人のアイデンティティの一部になっているように思えます。しかし、じつはこれはそれほど歴史のある概念ではないそうですね。

サンデル　そうなのです。この考え方こそアメリカン・ドリーム的だと考えがちですが、じつはこの社会階層を上がろうとするレトリックがめだつようになったのは１９８０～90年代からです。それ以前では、アメリカン・ドリームといえば、条件の平等が広くいきわたっていることでした。市民が公共の空間に集まり、お互いに敬意を示すことでした。その頃のアメリカン・ドリームは寛大だったのです。ところが、この40年で、それが個人の立身出世だけを語るものに収縮していってしまったのです。

――米国とその人種差別をめぐる最近の議論については、どう感じていますか。

サンデル　たくさんの希望を見出しています。ブラック・ライヴズ・マター（ＢＬＭ）は、市民のエネルギーを導く力になっており、現代の理想主義です。

――これはサンデルさんの言う社会の結びつきを作り直す手段になるのでしょうか。

サンデル　世代や階級を越えて結びつきを作れる手段になるかもしれません。ＢＬＭの運動がきっかけで、アメリカの市民社会の回復が始まるかもしれません。ほんとうに久しぶりに出現した、有望な市民運動です。暗く、不確実な状況のなかに、差し込んだ一筋の希望の光です。

スラヴォイ・ジジェク
コロナ後の〝偽りの日常〟

「私たちは資本主義のプリズムを通して考えることをやめる必要があります」

Photo : Matt Carr/Getty Images

Slavoj Žižek : « Slavoj Zizek's 'Brutal, Dark' Formula for Saving the World » Haaretz 20/6/5
〝欧州で最も過激な哲学者〟スラヴォイ・ジジェクが警鐘——コロナ後の〝偽りの日常〟を生んだ「自由への反動」と「不確かな情報」（COURRIER JAPON 20/6/24）

Slavoj Žižek　1949年、スロベニア生まれ。哲学者・精神分析家。「文化理論のエルヴィス・プレスリー」「新左翼の最も偉大な哲学者」などと称される。ラカン派精神分析をもとに、ドイツ観念論を読み直し、マルクス主義の刷新をはかる。哲学、精神分析から政治、映画などのポップカルチャーまで扱う。著書に『パララックス・ヴュー』（作品社）、『イデオロギーの崇高な対象』（河出文庫）、『幻想の感染』（青土社）などがある。

コロナ禍も落ち着いたように見えるいまの「日常」は、根拠のない情報と、つかの間の自由を楽しみたいという欲求によって作られている虚構だ――。歯に衣着せぬ物言いで欧州左派の支持を集めるスロベニアの哲学者スラヴォイ・ジジェクが、混迷を深める「コロナ後の世界」への危機感をイスラエル紙に語った。

〝過激派哲学者〟が語るコロナ禍の不安

いま、不安でたまらない――スラヴォイ・ジジェクはためらうことなくそう認めた。

気晴らしが以前のようにはできなくなってしまったし、人類の恐ろしい行く末の悪夢で夜も眠れず、自分が新型コロナウイルス感染症（COVID-19）にかかったらどうなるかを妄想する日が続いているという。

スカイプでのインタビューが始まるやいなや、ジジェクは「イスラエルではいま何が起きているの？　君はこの状況にどうやって耐えているの？　自宅で過ごしているの？　みんな外出しているの？　以前のように遊泳はできるの？」と私に矢継ぎ早に質問を浴びせ、こう詫びた。

こんな不安な気持ちでは、最後まで質問に答えられないかもしれない――だが、彼は少しずついつもの調子を取り戻した。

今回のインタビューはジジェクの新著『パンデミック　世界をゆるがした新型コロナウイルス』（Pヴァイン）が5月に出版された直後におこなわれた。ジジェクがたった数週間で書き上げたという本書は、私たちが岐路に立ったまま前に進めないでいるいま、多くの読者にできる限り早く、問題の核心を伝えようとした現代屈指の哲学者の試みだ。

へどが出るほどポリティカル・コレクトネスを嫌い、右翼も左翼も痛烈に非難する哲学者であり、文化評論家であり、思想の発動機でもあるジジェクは「文化理論のエルヴィス・プレスリー」「新左翼の最も偉大な哲学者」「欧米で最も過激な哲学者」の異名をとり、多くの支持者を持つ。

外交政策専門誌の特集で「世界の思想家トップ100人」に選ばれるなど、彼の言動は世界から注目されてきた。それほどの稀有な鬼才なのだ。

現在、ジジェクはスロベニア共和国の首都リュブリャナの自宅で、作家兼ジャーナリストで30歳年下の4番目の妻と自宅待機生活を送っている。スロベニア国内のコロナの流行は収まりつつあるように見えるが、スカイプで話すジジェクは安堵しているようには見えなかった。

世界は瀕死の状態

——まず、現在の心境をお聞かせください。

ジジェク　なんとか生きていますが、相変わらず憂鬱です。

このところ私は、「似たような集団心理の変化」がいたるところで起きていることを心配しています。つい最近までは「隔離」の恐怖がありましたが、突然魔法のように空気が変わりました。「たぶんコロナはそれほど深刻じゃない、状況は悪くない」とね。

スロベニアの右派政権は、この変化を利用して点数稼ぎをしたいんです。彼らは、以前の日常生活に戻っても問題がないかのように言います。ヤネス・ヤンシャ首相は自分を「独立の父」だと称していますが、今後は「私はスロベニアを二度救った。共産主義とコロナから」と主張するでしょうね。
いまは「秋に感染爆発の第二波が来たらどうなるかなんて、誰にもわからない。だからせめて自由を味わおう」という不吉なロジックが蔓延している、危険な時期だと思います。
新著でも少し触れましたが、いまは映画『キル・ビル Vol.2』のような状況なんです。決闘の場面でヒロインが悪党ビルを激しく殴打すると、彼の心臓は少し歩いた後に爆発します。パンデミックが猛威をふるうなか、世界も資本主義の強烈な一撃を食らいました。ヒロインの猛打を浴びたビルが死ぬまでのわずかな時間は、いまだにグローバル資本主義に支配されている世界の現状と言っていいでしょう。

いまの日常は〝偽物〟

――その一方で、コロナが実際に収束した地域もたくさんあります。
ジジェク　私たちはいま混乱しています。いいニュースもあれば、コロナに関する新しい情報もあります。今後、ウイルスの変異で危険性が増す可能性もありますし、何より問題なのは現在の日常が〝偽物〟であることです。基本的な状況判断が欠如していることに私は怒りを覚えています。

元通りの生活をしたいという欲望を叶えるには何かしらの明確な指標が必要なのに、私たちは自分がいまどこにいるのか把握できていないのです。

——新著で、「以前の日常はもう戻らない。『新しい日常』は私たちのこれまでの暮らしの残骸の上に作らなければならないだろう」と書かれていますが、コロナの「第二波」が迫っているとしたらどうですか？ 世界はそれほど早く変わらないかもしれません。

ジジェク ほんとうにイライラします。私たちが必死にしがみつこうとしていた、ありとあらゆる不確かな情報には。「夏の暑さで流行は収まる」「秋になればワクチンができる」「人類は集団免疫を獲得するだろう」とね。こういった作り話は消えつつあるのに、ウイルスはまだ居座っています。

コロナの第二波と同時に、インフルエンザの波が襲ってきたらどうなるでしょう。私たちは「1ヵ月の都市封鎖でもとの日常に戻れる」という幻想を抱いていました。

それが消えてなくなったいま、この状況下でどうやって新しい世界を作り上げていくのかという現実的な問題を、私たちは突きつけられているのです。

コロナを巡る「二つの体験」

オーストリア出身の心理学者ジークムント・フロイトは自著の『快感原則の彼岸』で、

第一次世界大戦で負傷しなかった兵士のほうが負傷した兵士よりもトラウマにうまく対処できず、戦争の恐怖体験の夢を繰り返し見ると書いている。

ジジェクは著書『パンデミック 世界をゆるがした新型コロナウイルス』のなかで、精神分析家ジャック・ラカンの手法を用いて、私たちが住む社会的・物質的空間である「リアリティ」と、目に見えないがゆえに全能に見える空間「リアル」をわけて考えるべきだと提唱している。

ジジェクによれば、リアルがリアリティの一部になったとき、人は初めてその問題に向き合えるのだという。たとえば、私たちは新型コロナウイルス感染症（COVID-19）にかかってやっと、それに「対処できる」と感じる。

ジジェクはコロナ危機の最中に労働者を二つに分類した。コロナに立ち向かった結果、ウイルスが日常のリアリティの一部になる医療従事者、福祉関係者、農業従事者、そして食品業界で働くいわゆるエッセンシャル・ワーカーと、自宅待機を続けるがゆえにコロナがリアルのままの人びとだ。

後者にとって、コロナはラカン的実体のない不気味な世界で存続するものだが、警戒を強いられるのはどちらも同じだ。エッセンシャル・ワーカーにはさまざまな危険が降りかかってストレスがたまる一方、自宅待機を続ける人びとは画面に映し出された見慣れた世界の終末に圧倒される。

ジジェクにとって新著の意味は、自分が声を上げてエッセンシャル・ワーカーの仲間入りをするというだけでなく、自宅待機を続ける人びとが見せる「徴候」を理解することにあるようだ。

ジジェクはもともと家にいるのが好きで、旅行中もその土地の名所や名物をすべて無視し、ホテルの快適な部屋で過ごすという。だが、そんなジジェクでも「自宅待機を強いられることは、気の進まない外出よりも居心地が悪い」と話す。

コロナは「将来の危機」に備えるリハーサル

――結局、すべての問題は地球温暖化に帰するのでしょうか。

ジジェク フランスの哲学者ブルーノ・ラトゥールの言葉を引用したいと思います。彼は「コロナ危機は、人類を待ち受けている地球温暖化や新たな感染症といった将来の課題に向けてのリハーサルだ」と言っています。これは悲観的というより、非常に現実的な見解だと思います。

今後、新たな感染症や自然災害が起きると大勢の専門家が予想するいま、私たちは資本主義のプリズムを通して考えることをやめる必要があります。いまは政治をやっている場合じゃないとか、この危機を生き抜くために人を動員すべきだと主張する人には、断じて同感できません。

かつての世界は消えようとしているのですから、いまこそ政治について考えるべきときです。疫学の専門家たちは「安全のためには、現在の隔離策を続けるべきだ」と言うだけでしょう。しかし、私たちには政治的な決断が必要なのです。

都市封鎖が再び、それももっと長く、あるいは何度も必要になるとしたら？ 悲しくなるような未来予想ですが、私たちは延々と緊急事態が続くような状況下で生きるための準備をするべきです。

私たちがいま考えなければならないのは、健康、経済、そして精神の危機です。マルクス主義者は国家による弾圧と支配の仕組みを揶揄するのが好きですが、効率のよい統治機構は絶対に必要です。私たちは新しい時代に突入しつつあります。コロナはすべての終わりを意味しているわけではありませんが、社会生活の再構築が必要です。

――我々はどのように社会を再構築すべきなのでしょう？

ジジェク　まずは医療に注力すべきです。コロナは世界共通の危機ですから、どこかで感染爆発が起きていたら他国にも飛び火します。世界が協力してこの問題に取り組み、感染の長期化に備える必要があります。

グローバルな医療体制がなければ、自国だけを安全な場所にしようとする国が出てくる一方で、ある地域では犠牲者が出つづけるでしょう。

オーストラリアとニュージーランドは経済の活性化策を共同で打ち立てようとしていますが、こうした政策がうまくいくとは思えません。どの国にも自国民を守る権利がありますが、この2ヵ国のやり方を解決方法として考えるのは危険です。このやり方では脅威が長期間、存在しつづけるからです。

――では、解決方法は何だと?

ジジェク　各国がしっかりと連携し、助け合うべきです。それこそが真のグローバル化です。この先に立ちはだかる問題にともに立ち向かうために、お互いに持てる力を出し合うのか、それとも自国だけを保護しつづけるのか。これは死活問題です。そのためには、いま非難を浴びているWHO（世界保健機関）を含め、国際機関を強化する必要があります。

私もそれを実行に移すべく、新著の印税はすべてフランスの医療援助団体「国境なき医師団」に寄付すると決めました。

誰もが社会に還元すべき

ジジェク　次に深刻な問題は食料不足です。いまのところ備蓄した食料でまかなえていますが、春の収穫期に欧州では問題が起きました。

たとえばフランスでは毎年、春に農作物の収穫をしていた出稼ぎ労働者が国境封鎖で入国できませんでした。国連はコロナのパンデミックが大規模な飢餓につながる恐れがあるとしきりに警告しているのですから、農業と食料の配分について改めて考えなければなりません。

私が苛立ちを覚えるのは、不要不急の産業を開始しようとする人がいることです。そういう人たちは経済の活性化が必要だと言いますが、私に言わせれば「経済なんか忘れろ」です。

流行のファッションを追い求めたり、新車の買い替えを検討したりといったことは的外れです。どの業界でも大企業が四苦八苦していて悲惨な状態にあるのはわかりますが、そういう企業には救済するだけの価値があるのでしょうか?

——著書では、現在も将来においても私たちが抱えるすべての問題に解決策を与えるべく、共産主義を刷新するべきだと提唱されていますね。

ジジェク　マルクスとエンゲルスは「各人が能力に応じて労働し、必要に応じて分配される」ことを提唱しました。ほんとうにその通りだと思います!

しかしながら、彼らの考えるような世界にはならないでしょう。これからも、誰もが快適な生活を送り、必要なものは何でも手に入れ、創造的な仕事に就くようにはなりません。私の考えはもっとずっと野蛮で暗いですよ。

政府はまず、誰ひとり飢えさせないことを保障すべきです。そのためにはおそらく、グローバルな取り組みが必要になるでしょう。でなければ、膨大な数の移民や難民が発生することになります。私たちは旅行やファッションを忘れなければなりません。誰もが自身の能力を最大限に生かして、社会に還元するべきです。私たちが直面する数々の問題を解決する方法が他に考えられますか?

テレワークが恐ろしくてたまらない

ジジェク　強い国家は必要ですが、西側が中国の監視とプライバシー排除の政策にならおうとしている風潮には、心穏やかではいられません。

いまは一見、自由が保たれているように見えます。ネットで食品を注文したり、社会から隔離された自分だけの小さな世界で好きなことをしたり、倒錯の世界に浸ったりできます。しかしながら、グーグルがこれだけ生活に入り込んでいるいま、欧米は中国より監視がゆるく、プライバシーが守られているとはもはや言えないでしょう。

——特にどんなことを心配されているのですか?

ジジェク　私はジャーナリストのナオミ・クラインの言う「スクリーン・ニューディール」（コロナによって人類の未来が、収益性が高くて人と触れ合わない生活に向けた「実験室」に変貌する可能性があるとする考え）の到来を懸念しています。

政府から途方もなく大きな支援を享受するグーグルやマイクロソフトのようなＩＴ企業は、人びとにテレイグジスタンス（人間がいまいる場所とは異なった場所に実質的に存在し、そこで自由に行動するというＶＲの概念）のサービスを提供します。

たとえばウェブ上で健康診断を受けたり、テレワークで働いたりすると、自分の部屋が自分の世界になります。私はこの状況が恐ろしくてしょうがありません。

――このような変化を「進歩」だと考える人もいますが。

ジジェク　これによって、浮き彫りになるのが格差です。自宅待機生活ができるのは、人口の半分かそれ以下です。現代社会には、かつての労働者階級とは別に「社会福祉労働者階級」があります。介護士、教育者、ソーシャルワーカー、農業従事者がそうです。

このスクリーン・ニューディールが進めば、この階級で働く人びとは消えていくでしょう。たとえば、介護士との直接のやり取りはますます減り、デジタル化されていくはずです。

富裕層は厳格な監視下に置かれる

──著書では、このような状況で富裕層が払う犠牲についても注目されています。

ジジェク　皮肉なことに、スクリーン・ニューディール下では富裕層は自宅待機生活を享受できる一方、厳格なデジタル監視下におかれるでしょう。この完全に隔離された世界では新しい性のかたちも生まれるはずです。

そこでは仮想現実で誰かといちゃついた後にこう言うんです。「そろそろウイルス検査にお互い行かないか？　もし2人とも陰性だったら、実際にセックスできる」とね。

私が特に不安に感じているのは、少数の人間に権力が集中することです。

国から協力を得た巨大IT企業の手に集中する権力が、どれだけ大きいか想像できますか？「ウィキリークス」の共同創設者ジュリアン・アサンジが書いているように、スクリーン・ニューディール下では、グーグルとNSA（米国家安全保障局）のような組織が協力して、私たちをひそかに管理するでしょう。

──著書のなかで「哲学的な革命」を呼びかけていらっしゃいます。学問の世界全般と哲学は、人類を待ち構える〝すばらしい新世界〟でどのように変わるのでしょうか？

ジジェク　学界に何が起こるのかはわかりません。アメリカの人文科学分野の教授によれば、多くの学生が世界は分断すると感じているそうです。

ただし、今後は哲学的に深く考えることがますます必要になってくると思います。これまでと違う世界を歩みはじめ、誰もがみな途方に暮れています。アメリカではすでに人種差別に対する感情の爆発が起きています。

新世界で道に迷わないよう、これからも人生について深く考え続けなければなりません。

第５章　私たちはいかに生きるか

ボリス・シリュルニク
レジリエンスを生む新しい価値観

「惨事の後、私たちは必ず適応し、新しい生き方を探ることになる」

Photo : Eric Fougere/Corbis/Getty Images

Boris Cyrulnik : « Le traumatisme de l'épidémie provoque une adaptation » L'Obs 20/3/29
「新型コロナがもたらす新しい価値観」著名精神科医ボリス・シリュルニクが分析（COURRIER JAPON 20/4/14）

Boris Cyrulnik　1937年、フランス・ボルドー生まれ。5歳のときにユダヤ人一斉検挙により、両親を失う。本人は強制収容所へ移送される寸前のところで逃走。戦後、パリ大学医学部に進学し、精神科医に。医療活動とともに、強制収容所からの生還者や発展途上国の恵まれない子供の支援活動にも取り組む。著書に『憎むのでもなく、許すのでもなく――ユダヤ人一斉検挙の夜』（吉田書店）、『壊れない子どもの心の育て方』（KKベストセラーズ）、『妖精のささやき――子どもの心と「打たれ強さ」』（彩流社）、『心のレジリエンス――物語としての告白』（吉田書店）など。フランスに「レジリエンス」の概念を広めた。

世界中で猛威をふるう新型コロナウイルス。EU各国は次々にロックダウン（都市封鎖）措置を取っている。

ユダヤ人一斉検挙をからくも逃れたサバイバーでもある、フランスの有名な精神科医ボリス・シリュルニクは、これまでもレジリエンス、すなわち「逆境にへこたれずに生活・成功・成長する力」について探ってきた。そんな彼が、今回の疫病流行が人びとの心、そして社会に与える影響を分析した。

都市封鎖が心にもたらす影響

――ロックダウン（都市封鎖）によって住民の心の健康はどうなりますか。

シリュルニク　ロックダウンは体の安全を守るためであり、生存のために必要な措置です。しかし、この措置は人の心を恐ろしいほど圧迫します。いま私たちは「社会的距離」を保たなければなりません。死者数が数万人に膨れ上がる事態を避けなければなりませんからね。

１９１８～19年のヨーロッパでは、ウイルス性脳炎での死者数のほうが戦争の死者数より多かったことを忘れてはなりません。とはいえロックダウンのストレスのせいで心身が不調になることもある事実は変わりません。

この試練に直面する人には２パターンあります。

学歴や職業、愛情にあふれた家庭環境など、自分を守ってくれるものがある人は、態勢を整えて困難を乗り越えていけるはずです。

家族全員で取り組む日課や趣味が復活したり、新たに始まったりします。個人的なプロジェクトを始める人もいるでしょう。昔弾いていた楽器を取り出す人も、本を読む人も、文章を書く人もいるでしょう。友人や親戚とは電話で連絡を取り合います。

――でも、そういう人ばかりではないというわけですね。

シリュルニク　当たり前です。もともと心の不調で悩んでいる人もいます。幼少期のトラウマがある人、恵まれない環境で育った人、家庭内に不和がある人、経済的に不安定な人などがいます。

そういった人はロックダウンで受けるダメージが大きくなりかねません。同僚の精神科医数名から、ロックダウン以後、パニック障害の再発が出てきていることを知らされました。私も患者から電話で急性の錯乱状態になったと聞きました。ロックダウンは公衆衛生を守るために必要な措置です。しかし、心を保護してくれるものを持っているか否かで、その影響が変わってきます。

――ロックダウンが心の不調につながるのは神経学的にはどのような理由があるのですか。

シリュルニク　感覚遮断が原因です。精神医学では外界から切り離されたときの影響がよく知られています。動物も人間も、環境からの刺激がなくなったり、自分から環境へ働きかけられなくなったりすると、不安障害が出るほか、ときには幻覚や錯乱も起きます。

このことはさまざまな実験でわかっています。独房に入れられた囚人がこれを経験します。潜水艦の乗組員や南極に長期滞在する研究者、無風の海を進むときの遠洋航海の船員もそうです。私も無風の海の上でこの経験をしたことがあります。

——科学的にはどのように説明できるのですか。

シリュルニク　感覚遮断が認知の機能を乱すのです。動物に関しては1930年代、ハリー・ハーロウの実験で、赤ちゃんザルを親から切り離すと発達の遅れが出ることが示されました。

チャウシェスク時代のルーマニアの孤児を対象にした研究もあります。愛情の欠落した劣悪な施設で、感覚を遮断されて育った子供たちの研究です。この研究では、脳の発達に他者の存在が必要だと示されました。

脳の画像では、感覚遮断によって、予想に関わる前頭前皮質の萎縮、記憶や情動に関わる大脳辺縁系の萎縮、それから耐えがたい感情が生まれる扁桃体の肥大化が見られました。

——感覚遮断とは孤独のことですか。

シリュルニク　感覚遮断は孤独とはまったく関係がありません。孤独はむしろありがたいものだったりします。社交のストレスから私たちを恢復《かいふく》させてくれますからね。社会での生活は、言ってみれば全力疾走の連続です。それにうんざりしたとき、孤独になれば、私たちは、ゆっくりとした時間の流れ、静けさ、安らぎの味わい方を思い出します。贅沢な経験です。
私も数日前から、風のささやきや、葉のざわめき、鳥の鳴き声が耳に入るようになりました。このような孤独は恵み深い休息です。

――ロックダウンの期間中は家族で過ごす人が大半です。しかし、家族関係は複雑であり、ときに不安定です。これが精神を不安定にするリスクはありますか。

シリュルニク 家族がトラウマを負う前に、心を保護できるものを獲得できれば、ロックダウンの経験はずいぶん楽になるはずです。親たちが新しい日課やゲームや活動を考え出せば、家族の絆は強くなります。ドイツ流に家族全員で一緒に楽器を演奏するのは模範例です。

しかし、家族内にもともと不和がある場合、共同生活が非常に耐えがたいものになりかねません。ロックダウンの前は、家族がそれぞれの仕事に打ち込み、対立を回避できていたとしても、ロックダウンになると、未解決だった問題が引きずり出され、暴行が始まってしまうこともあります。

家庭という閉ざされた場で近親姦や虐待が増えています。こうした家庭内暴力では10件中8件、暴力をふるうのは男性です。すでにOECDが虐待件数の増加に警鐘を鳴らしています。虐待の危険にさらされた子供のための電話相談窓口はいまたいへん混雑しています。
電話に出られる人の数が足りていません。ですから、電話の数を増やして、社会の目が家庭内に入るようにしなければなりません。それが家庭内の暴君の行動のブレーキとなります。

――これまでの著作でレジリエンスという「逆境にへこたれずに生活・成功・成長する力」とは何かを探られてきましたね。レジリエンスという概念は、新型コロナウイルスという疫病の流行にも応用できますか。

シリュルニク　私たちが心に負うトラウマのすべてと同じように、今回の疫病流行も、適応をうながします。人類はこの地上で暮らすようになってから、何度も細菌やウイルスに感染し、それがいまの人類を形作ってきたのです。

たとえば1348年の黒死病です。フランス南部のマルセイユでこの疫病が流行すると、街の住民はフランスの北部に逃げていき、それによって桿菌が拡散されました。最初の感染者発生の2年後、ヨーロッパの人口の半分が死にました。

この社会の大混乱が美術界を大きく変えました。疫病が流行する前は、宗教画が家族の絆を強めていました。しかし、画家はこの大災難の後、絵の題材を変えはじめ、家庭や家族の喜びに価値を見出すようになったのです。この頃から静物画に、それまで描かれていなかったジビエや果物皿、ワイン、テーブルクロスが登場するようになりました。
それだけではありません。疫病で大量の死者が出たことで、社会関係も変わりました。農奴制では、地主が荘園を売却する際、その荘園に属する人も売却できました。しかし、この制度が徐々に消えていったのです。ペストで大量の死者が出たので、農民の賃金が上昇し、農奴の身分から解放される農民が増えていったからです。

コロナ危機後の社会はどう変わる?

――今回の疫病流行は社会をどう変えていきますか。

シリュルニク　新しい価値観が育つはずです。私自身は、この全力疾走の連続のような生活が終わり、社会がもっとゆっくりとしたものになるのがいいと考えています。どうしてこれほどまでスピードにこだわるのでしょうか。どうしてこれほどの数の機械が必要なのでしょうか。

2年前、日本で仕事をしたことがあります。日本の子供は学業の成績が驚くほど高いのですが、その陰で子供たちが考えられないほど傷ついていました。中国では女性の状況を調べました。中国では、女性の自殺者数が男性より多いのです。これは女性が嫁ぎ先の家族から働くように強く圧力を受けるからです。フランスでも女性が仕事と子育ての両立をしようとして燃え尽きています。

このように過剰に刺激を与えることは無意味です。日本でも米国でもカナダでも、多数の男の子が苦しんでいます。幼い頃からいい成績をとるように期待されているのですが、彼らの発達段階では、まだそのようなことをするのは無理なのです。怖気づいてしまって、自分の部屋に閉じこもってゲームで遊ぶようになり、友達と会わなくなるリスクもあります。

イスラエルは対照的です。国際調査を見ると、この国の学童は初等教育の時点では成績は凡庸です。ところが高等教育になると、きわめて優秀な学生になるのです。これはゆっくりと学ぶことの利点だと思っています。

いまは平均寿命が80歳を超える時代です。なぜ6~10歳の子供に全力疾走をさせるのでしょうか。親たちは、自分が感じているプレッシャーを、そのまま子供に押し付けようとしているわけです。この競争の価値観が、コロナウイルス前の時代の過去の遺物と化すといいですね。

――さきほど機械の数が多すぎると指摘されていましたが、それはどういう意味ですか。

シリュルニク デジタル機器によってコミュニケーションの能力は格段に上がりましたが、人や物との関係が変質してしまいました。昔、私は何か調べ物をするときは書斎の本棚の本に目を通していましたが、いまはグーグルで検索するだけです。検索の性能は素晴らしいですが、ここには「関係」といえるものがありません。

私はフランスの子供の最初の3年間を準備する「最初の1000日」委員会の議長を務めており、近々報告書を公表する予定です。その報告書では、スクリーンの有害性を強調するつもりです。子供の年齢が低ければ低いほど、害が大きくなります。脳に影響が現れ、言語の習得水準が下がり、他者との関係で発達の遅れが出てきます。

——いまフランス人はロックダウンでリモートワークやオンライン授業に積極的に取り組んでいるわけですから皮肉ですね。

シリュルニク　いまは危機の最中ですから、リモートワークやオンライン授業で被害を抑えていかなければなりません。ただ、こうした手法では、あまりいい成果は望めません。ボルドーの国立司法学院で教えていたとき、ＭＯＯＣ（大規模公開オンライン講座）のシステムを使って授業の質の向上を狙ったことがありました。学生たちは最初、この経験を面白がりましたが、これをずっと継続してほしいという声はあがりませんでした。

テキストの講読の授業を、オンラインでも、実際の教室でも受けられるようにして、学生には好きなほうを選ばせました。テキストの内容をよく記憶できたのは、実際に顔を合わせてやりとりをした学生のほうでした。テキストを読み上げるときも、教室にいた学生のほうが感情を込めていました。それが記憶の土台となるのです。
面白い授業ができる先生とつまらない授業しかできない先生がいますが、その違いは何なのか。それはただ単純に、面白い先生は、知識だけでなく感情も伝える人だということなのです。

コロナが浮き彫りにする人類の二面性

——新型コロナウイルスのトラウマは人類と環境の関係を変えるのでしょうか。

シリュルニク　変わると思います。中国では大気汚染が劇的に改善しました。フランスでも大気汚染の改善が始まっています。この単純な事実が、地球温暖化も、環境破壊も対処できるものなのだと示しています。新型コロナウイルスによって実験操作ができたようなものです。消費と生産のペースを調整すればいいのなら、なぜわざわざ病気になる必要があるでしょうか。

——新型コロナウイルスという疫病が私たちに進むべき道を示したということですか。

シリュルニク　そのような面もあります。マスク不足は、繊維産業の原料調達から製品販売までの工程が最適化されたのが原因でした。世界的な競争の結果、速く、安く生産できる中国がマスクの製造工程をすべて独占したのです。

私はイタリアのプラートで働く中国人の姿を見たことがあります。その靴製造工場では生産速度を上げるため、労働者は床で寝ていました。いま中国の当局は、疫病の経済的損失を取り戻そうとして経済の急回復をめざしています。そのような生産競争が、自殺や精神の不調、環境破壊を引き起こすことはわかっているのに、また始めることになるのでしょうか。

――ロックダウン中に連帯心を発揮して行動する人もいれば、常軌を逸した個人行動をする人もいます。これはどうお考えですか。

シリュルニク　これは人間に備わる永遠の二面性ですね。トラウマが生ずるような局面では、人間はつねに相反する反応を示します。一人の人間のなかにも、連帯しようと反応することもあれば、同時にエゴイストというか、他人を食い物にしようとする反応が出てきたりします。

2年前、大雪のせいでリヨンとマルセイユの間の高速道路で数千の自動車が足止めになったときがありました。あのときもすぐに助けに駆けつけたボランティアがいた一方、法外な値段で食べ物を売る人も現れました。

――毎日20時に献身的に働く医療従事者に拍手が送られていますが、これはどう分析されていますか。

シリュルニク　これも二面性がありますね。１９１４年に若い兵士たちが戦争に向かったときも、拍手と花と万歳の歓声につつまれて見送られ、向かった先は虐殺の地だったわけですからね。もちろん、この比較は妥当ではありません。でも、私たちが医療従事者に拍手を送るのは、彼らが私たちのために自分を犠牲にしているからです。

彼らのうちの何人かはウイルスに感染するわけです。その数が最少にとどまることを願いましょう。拍手を送りながらも、彼らが引き受けているリスクの大きさも心に刻みましょう。

――危機後は楽観視していますか。

シリュルニク　いま私たちは惨事の真っ只中にあります。ですが私は楽観視しています。惨事の後、私たちは必ず適応し、新しい生き方を探ることになるからです。生物の進化も、危機を経て起きることが理論で示されています。地球ではこれまでに生物の大量絶滅が5回起き、いま人類が6回目を引き起こそうとしています。

しかし、人類の意識が高まれば、まだ人類が救われる可能性も残っています。そうなれば新型コロナウイルスのパンデミックは有用だったといえるはずです。今回の危機を経て私たち人類と環境の関係、人間同士の関係も変わっていくと思います。

アラン・ド・ボトン
絞首台の希望

「不安をコントロールするのは不可能だと、私たちは気づくべきです」

Photo : Jeremy Sutton-Hibbert/Getty Images

Alain de Botton : « To Find Peace in the Time of Coronavirus, Be Very, Very Pessimistic, Says Philosopher Alain De Botton » Haaretz 20/4/2

スイス人哲学者アラン・ド・ボトンが提言——不確実な「コロナ時代」を生き抜くには、徹底的に〝悲観的〟であれ（COURRIER JAPON 20/4/22）

Alain de Botton　１９６９年、スイス生まれ。哲学者・作家。１９９２年にロンドン大学キングス・カレッジで哲学の修士号を取得した後、ハーバード大学でフランス哲学の博士課程に在籍し、作家に転身。著書に、プルーストの作品と生涯から人生のヒントを伝える『プルーストによる人生改善法』（白水社）や、ソクラテスやニーチェなど6人の哲学者の思考を通して読者の悩みの相談に応じるベストセラー『哲学のなぐさめ』、芸術家や哲学者を通して旅の楽しみ方を伝授する『旅する哲学』（いずれも集英社）など。現在は英ロンドン在住。

突然の「コロナ危機」によって、いままで当たり前に続くと信じられていた日常が大きく変化しようとしている。哲学者にしてベストセラー作家のアラン・ド・ボトンがイスラエル紙に語った、先の見えない不安定な時代に心安らかに生きるヒントを紹介しよう。

スイス人哲学者の「コロナ時代」を生きる知恵

——つまらない日常が、こんなに短い間に暗黒の世界に変わるなんてほんとうに驚きです。現実に起きているとは思えないほどです。いったい、今日は何について話せばいいでしょう？（ボトン氏が住んでいる）ロンドンの様子はいかがですか？

ボトン　この数週間、私は新型コロナウイルス感染症（COVID-19）のパンデミックについて、あらゆる医療報告書や報道記事を読みました。そして、そのすべてが非常に困った時代になるだろうと明確に結論づけていました。

いまの危機的な状況について、言いたいことは山ほどあります。現代社会で生きる我ら人間は、科学とテクノロジーで自然をコントロールできると思っています。それは啓蒙主義の核となる思想で、人類は自らを世界の覇者で食物連鎖の最高位の捕食者と思い込み、環境は私たちの支配下にあると確信しています。

しかし、実際はまったく違います。第一に、私たちは真の意味で環境を理解していません。人間はある分野には精通しているかもしれませんが、同時に多くの無知と未知の領域に四苦八苦しています。

——人間は無知なのでしょうか、それとも都合の悪いことを無視しているのでしょうか？

ボトン　両方でしょうね。人間は愚かで傲慢で、欠陥だらけの痛ましい動物です。古代ギリシア人はそれを知っていました。有史以前の時代から、そうした性質は私たちの文化的なＤＮＡに組み込まれているのです。

——けれど、私たちはそれを認識しておらず、いま「謙虚」という名の大きなパイを喉につまらせています。飲みこむ力がないんです。

ボトン　私たちは、このパイをすべて食べきらなければなりません。人間はこれまで、自分たちは完璧で、安全が保障されていて、状況をコントロールできていると強く信じながら進化してきました。ところが実際には、有害な生物や災難にさらされている、傷つきやすい薄い皮膚のような存在なのです。しかし一方で、私たちは皆どう死ぬべきかわかっています。これはいいことです。

――いいことなんですか⁉

ボトン　もちろんです。「死」だけが、人間がこれまでずっと効率的かつ系統的にできている唯一のことですから。私たちは普段、些細なことに怒ったり、文句を言ったりしながら生きています。たとえば、ここロンドンでは、グレービーソースが料理の上にかかっておらず横に添えてあったとか、そんなことで人びとは不平を言います。

でも、そんな穏やかな日々のなかで突然、医師に「あなたはガンで、余命は3週間です」と告げられるかもしれません。私たちは、恐怖のどん底につき落とされますが、同時にその事実を受け入れます。なぜなら、人間はどう死ぬべきかをわかっているからです。たとえ生き続けたいと願っていても、私たちは死に方を知っています。これはとても重要なことです。

「底辺」に備えよ

――死に方を知っていることに、安らぎを見出せるのでしょうか？

ボトン　見出せます。たとえそれが、いささか暗い安らぎだとしても。私の一番好きな哲学は、ストア派です。

――私もセネカの著作を読みました。セネカは不安にとらわれた人びとに教えを説いた哲学者ですね。

ボトン　その通りです。ストア派の哲学者たちは、平和に生きるためには「すべてうまくいく」などと考えないことだと説きました。つまり、「笑って。大丈夫、すべてうまくいくから」などと言う人たちは皆、自分の首を絞めているだけなのです。

心に平安をもたらす唯一の方法は、最悪のシナリオを想定することです。そうすれば何が起ころうとも、大丈夫。なぜなら、最悪の事態を受け入れる準備がすでにできているのですから。

――セネカは一日の始まりに、起こりうるすべての身体の痛みや心の苦しみについて深く考えることから始めるように勧めていますね。

ボトン　ストア哲学の観点から、感染症について検証してみましょう。新型コロナウイルス感染症は、おそらく世界中に広がって何百万もの人が亡くなるでしょう。

今後はわずかな収入で暮らさなければならず、既存システムのすべてが崩壊するでしょう。そして私たちは、愛する人を失うかもしれません。これが起こり得ることです。

こうした状況にならないことを祈る一方で、最悪の事態の想定は私には魅力的でもあります。底辺はどこで、それがいかにひどい状態なのかを理解していれば、備えることができますから。

コロナ時代に必要なのは、ユーモア、愛、友情

――最悪の事態の想定をすると、なおさら不安になるのではありませんか?

ボトン　では、実際のところ不安とは何なのでしょう?

不安とは未知、もしくは制御不能なことに対して、必死に対処・コントロールしようとする心の動きです。しかし、現実をコントロールしようとする試みは失敗する運命にあります。その現実がパンデミックであるなら、なおさらです。

不安をコントロールするのは不可能だと、私たちは気づくべきです。すべてが不確かなのですから。

完璧な安全など存在しません。フランスの哲学者ミシェル・ド・モンテーニュは「たくさんの疑いを枕にして寝れば、思考のバランスがよくなる」という言葉を残しました。

こういった哲学こそが、いま求められているものです。作家アルベール・カミュの『ペスト』や『シーシュポスの神話』（ともに新潮社）から学ぶべきなのです。

カミュは、シンプルな喜びに注力することが大切だと説きました。セックス、水泳、サッカー、文学などです。こうした楽しみは、現在の「暗闇に向かう旅路」でも失われていません。いま私たちに必要なのはユーモアと愛、そして友情です。友情は楽しさや喜びからだけでなく、哀しみや困難からも生まれるものです。

私たちは、幸福な時間を共有するために友情があると思いがちですが、じつはその反対なのです。友情とは、痛み、恐れ、不安そして悲劇を共有するためにあります。この先、数ヵ月を共に生きる友人の存在が非常に重要になるでしょう。

もうひとつ必要なのが、ロールモデルです。自分ではなかなかできない行動を示し、その行動力で私たちを魅了してくれる人材です。これまで、私たちは億万長者や華やかな生活を満喫するセレブに憧れてきましたが、そんな人物はもはや役に立ちません。

私たちに必要なのは、ひどい苦しみのなかでどう生きるかを知っている人たちです。彼らから、私たちはいま取るべき行動を学べます。たとえば仏教徒がつねにブッダの教えに立ち返るように、ロールモデルを参考にするのは効率のよい思考の枠組みなのです。

最悪のシナリオを想定せよ

――コロナ危機で一番やっかいなのは先が見えないことです。私たちにはしがみつくものがなく、この多様で圧倒的な「不明瞭さ」に立ち向かうことができないでいます。

ボトン　友人たちは私にこう問い続けます。何が起きようとしているの？　9月にはどうなっているの？

私は彼らに「最悪のシナリオを想定すべきだ」と答えます。楽観的でいることには何の意味もありません。18ヵ月以内に、科学の力でこの状況を乗り越えられるかもしれません。おそらく、ロックダウンもずっとは続きません。断続的にくりかえされ、私たちは解放されるでしょう。

経済は大惨事でしょうね。景気低迷は避けがたく、経済成長率の下落は5～15％にもなるでしょう。これは巨大な損失です。今後は、15年前の生活レベルで暮らすことになるでしょう。

しかし、だからといって世界が終わるわけではありません。それに、こうしたシナリオをしっかりと想定しておけば、不明瞭さから抜け出して身を置く場所を見つけることができるのです。

たとえば誰かから「ブリティッシュ・エアウェイズでさえ倒産するらしい」と聞いて、意気消沈するかもしれません。たしかに多くの航空会社が倒産の憂き目にあう可能性はあります。ゆえに落ち込むのではなく、それを受け入れるべきなのです。
そうすれば、いま世界がどこへ向かおうとしているのか、わかるはずです。この先「4000万人の失業者が出る」という報道が出たとしても、もうすでにそんなことは知っていたと思えます。いま挙げた例は、もちろんすべて仮の話ですが。

生への執着を捨てるべき

――コロナ危機によって、多くの市民が政治リーダーに不信感を持つようになりました。私たちの運命が間違った人間の手中にあると気づくのは恐ろしいことです。多くの人はドイツの素晴らしいリーダーを見てうらやましいと思っています。
ボトン　価値のある政治リーダーは、いまの世界を見渡してみてもほとんどいません。私たちが衰退の時代を生きていると示す兆候が起きています。それは、私たちが自らリスクをとっているという事実です。現代人は日常に飽きてしまい、リスクを取ることで生活に刺激を取り入れようとしました。こうした考えが、欧米諸国の選挙結果の根底にあると私は考えます。

「この愉快な人に賭けてみたら、きっと楽しいことになる」と投票する候補者を決め、その結果、多くの国でいまなら絶対に選ばれないリーダーが政権を握っています。彼らには明らかにこの危機を乗り越える資質がありません。

――多大な労力を払って人生を正しく舵取りしようとする努力など儚いものという事実に、私たちは向き合わざるをえなくなっています。

ボトン　いい死に方と悪い死に方があると、私は考えています。私はいま50歳でそこそこ生きていますが、同年代やもっと年上の人たちと同じように永遠に生きたいとも思います。

けれど、もしコロナ危機で命を落とすならそれも仕方ないことです。私たちは永遠に生きる必要があるという考えを捨てるべきだと思います。

とてつもなくネガティブなことを言っているように聞こえたら申し訳ないのですが、50歳の人間ならすでに人生でたくさんのことを成し遂げたはずです。50歳の人間が1年以内に脳卒中を起こす確率は1・5％です。心臓発作とか、もっとぞっとするような病気にかかる可能性もあるし、交通事故に遭うかもしれません。

私たちはずっと健康のまま長く生き続けられると信じたい誘惑にかられますが、そんなことはあり得ないのです。

――そうは言っても、明日は今日とまったく変わらないと私たちは信じています。

ボトン　だから、ほんとうはそうではないと理解するのが難しいのです。私たちに必要なのは二元論的な思考です。私たちは毎日、忙しい日々を送っています。世界中を回ったり、重要な契約にこぎつけたり、新しい服を買ったり、有名店のパスタを食べたり、すべてが意味のあることだと思っています。

しかし同時に、死は突然やってきますからその準備をしておく必要があります。そのときが来たら楽観から悲観へ、思考を転換するのです。

――現実を受け入れろということでしょうか？

ボトン　その通りです。想像してみてください。

あなたは家でほとんどの時間を心地よい、暖房のきいた明るい部屋で過ごしています。家のなかにはもう一つ部屋がありますが、そこには入りたくありません。なぜならその部屋には気味の悪い物があるからです。

けれど、1時間だけそこで過ごしてみてはどうでしょう？　ただ灯りをつけて、そこに何があるのかを見てみるのです。素敵な部屋ではないし、寒いし、変なにおいもします。しかし、そこで過ごさなくてはならないときが来る前に、その部屋がどんなものなのか知っておくべきです。

誰もが同じ道筋を通るのですから、知っていればとても役に立つでしょう。あなたの番が来ても、罰だと感じる必要はありません。罰ではないのですから。

必要なのは「絞首刑の希望」

――しかし、人間は小さな希望なしでは生きられません。

ボトン 「希望」と聞いて、私が思い浮かべるのが画家のアンリ・マティスです。マティスは苦労の多い人生を送りましたが、彼の絵は希望と幸せにあふれています。太陽は輝き、花が咲き誇り、人びとは微笑みを浮かべて踊っています。

彼の作品は感傷的ではありません。感傷的な作品を作る芸術家は、人生は美しいと考えるものです。けれどマティスのように現実的な芸術家は、人生は痛みに埋め尽くされたものだと知っています。だからこそ、希望の大切さを理解しているのです。

現実が暗闇だからこそ、輝くようなレモンや花の絵が必要なのです。根拠のない空虚な希望や、「すべてがうまくいくから心配しないで」という安易な慰めではなく、マティスの希望こそがいまの私たちには必要なのです。

つまり、私たちには「絞首刑の希望」が必要なのです。人間は皆、最終的には絞首台へと向かいます。

けれどそこに至るまでの道のりには、素敵な果樹園があるかもしれない。かわいらしい子供が幸せそうに美しいアヒルの絵を描いているかもしれない。たわわになったざくろの実が食べられるかもしれない。

眼前に広がる青い海を望むこともできるでしょう。こうしたことは、このコロナ危機の時代にあっても可能です。世界は、希望に満ちた美しい物にあふれています。今後はいままで以上に、絶望と隣り合わせのささやかな希望が私たちの人生に生きる価値を与えてくれるでしょう。

ざくろの実。3歳の子供の笑顔。海――先の見えないコロナ時代において、こうしたものこそが心の拠り所にする価値のあるものなのです。

講談社現代新書 2601

新《あたら》しい世界《せかい》 世界《せかい》の賢人《けんじん》16人《にん》が語《かた》る未来《みらい》

二〇二一年一月二〇日第一刷発行 二〇二一年三月一〇日第六刷発行

編 者 クーリエ・ジャポン ©COURRiER Japon 2021
発行者 渡瀬昌彦
発行所 株式会社講談社
東京都文京区音羽二丁目一二―二一 郵便番号一一二―八〇〇一
電 話 〇三―五三九五―三五二一 編集（現代新書）
〇三―五三九五―四四一五 販売
〇三―五三九五―三六一五 業務
装幀者 中島英樹
印刷所 豊国印刷株式会社
製本所 株式会社国宝社
本文データ制作 講談社デジタル製作
定価はカバーに表示してあります Printed in Japan

本書のコピー、スキャン、デジタル化等の無断複製は著作権法上での例外を除き禁じられています。本書を代行業者等の第三者に依頼してスキャンやデジタル化することは、たとえ個人や家庭内の利用でも著作権法違反です。Ⓡ〈日本複製権センター委託出版物〉複写を希望される場合は、日本複製権センター（電話〇三―六八〇九―一二八一）にご連絡ください。

落丁本・乱丁本は購入書店名を明記のうえ、小社業務あてにお送りください。送料小社負担にてお取り替えいたします。

なお、この本についてのお問い合わせは、「現代新書」あてにお願いいたします。

N.D.C.302 244p 18cm
ISBN978-4-06-522546-2

「講談社現代新書」の刊行にあたって

教養は万人が身をもって養い創造すべきものであって、一部の専門家の占有物として、ただ一方的に人々の手もとに配布され伝達されうるものではありません。

しかし、不幸にしてわが国の現状では、教養の重要な養いとなるべき書物は、ほとんど講壇からの天下りや単なる解説に終始し、知識技術を真剣に希求する青少年・学生・一般民衆の根本的な疑問や興味は、けっして十分に答えられ、解きほぐされ、手引きされることがありません。万人の内奥から発した真正の教養への芽ばえが、こうして放置され、むなしく滅びさる運命にゆだねられているのです。

このことは、中・高校だけで教育をおわる人々の成長をはばんでいるだけでなく、大学に進んだり、インテリと目されたりする人々の精神力の健康さえもむしばみ、わが国の文化の実質をまことに脆弱なものにしています。単なる博識以上の根強い思索力・判断力、および確かな技術にささえられた教養を必要とする日本の将来にとって、これは真剣に憂慮されなければならない事態であるといわなければなりません。

わたしたちの「講談社現代新書」は、この事態の克服を意図して計画されたものです。これによってわたしたちは、講壇からの天下りでもなく、単なる解説書でもない、もっぱら万人の魂に生ずる初発的かつ根本的な問題をとらえ、掘り起こし、手引きし、しかも最新の知識への展望を万人に確立させる書物を、新しく世の中に送り出したいと念願しています。

わたしたちは、創業以来民衆を対象とする啓蒙の仕事に専心してきた講談社にとって、これこそもっともふさわしい課題であり、伝統ある出版社としての義務でもあると考えているのです。

一九六四年四月　野間省一

哲学・思想Ⅰ

66 哲学のすすめ——岩崎武雄
159 弁証法はどういう科学か 三浦つとむ
501 ニーチェとの対話——西尾幹二
871 言葉と無意識——丸山圭三郎
898 はじめての構造主義 橋爪大三郎
916 哲学入門一歩前——廣松渉
921 現代思想を読む事典 今村仁司 編
977 哲学の歴史——新田義弘
989 ミシェル・フーコー 内田隆三
1001 今こそマルクスを読み返す 廣松渉
1286 哲学の謎——野矢茂樹
1293 「時間」を哲学する——中島義道

1315 じぶん・この不思議な存在——鷲田清一
1357 新しいヘーゲル——長谷川宏
1383 カントの人間学——中島義道
1401 これがニーチェだ——永井均
1420 無限論の教室——野矢茂樹
1466 ゲーデルの哲学——高橋昌一郎
1575 動物化するポストモダン 東浩紀
1582 ロボットの心——柴田正良
1600 ハイデガー＝存在神秘の哲学——古東哲明
1635 これが現象学だ——谷徹
1638 時間は実在するか 入不二基義
1675 ウィトゲンシュタインはこう考えた 鬼界彰夫
1783 スピノザの世界——上野修

1839 読む哲学事典——田島正樹
1948 理性の限界——高橋昌一郎
1957 リアルのゆくえ——大塚英志 東浩紀
1996 今こそアーレントを読み直す——仲正昌樹
2004 はじめての言語ゲーム——橋爪大三郎
2048 知性の限界——高橋昌一郎
2050 超解読！ はじめてのヘーゲル『精神現象学』 竹田青嗣 西研
2084 はじめての政治哲学 小川仁志
2099 超解読！ はじめてのカント『純粋理性批判』 竹田青嗣
2153 感性の限界——高橋昌一郎
2169 超解読！ はじめてのフッサール『現象学の理念』——竹田青嗣
2185 死別の悲しみに向き合う——坂口幸弘
2279 マックス・ウェーバーを読む——仲正昌樹

哲学・思想Ⅱ

13 論語――貝塚茂樹
285 正しく考えるために　岩崎武雄
324 美について――今道友信
1007 日本の風景・西欧の景観――オギュスタン・ベルク 篠田勝英 訳
1123 はじめてのインド哲学　立川武蔵
1150 「欲望」と資本主義――佐伯啓思
1163 「孫子」を読む――浅野裕一
1247 メタファー思考――瀬戸賢一
1248 20世紀言語学入門　加賀野井秀一
1278 ラカンの精神分析――新宮一成
1358 「教養」とは何か――阿部謹也
1436 古事記と日本書紀　神野志隆光
1439 〈意識〉とは何だろうか　下條信輔
1542 自由はどこまで可能か　森村進
1544 倫理という力――前田英樹
1560 神道の逆襲――菅野覚明
1741 武士道の逆襲――菅野覚明
1749 自由とは何か――佐伯啓思
1763 ソシュールと言語学――町田健
1849 系統樹思考の世界――三中信宏
1867 現代建築に関する16章　五十嵐太郎
2009 ニッポンの思想――佐々木敦
2014 分類思考の世界――三中信宏
2093 ウェブ×ソーシャル×アメリカ　池田純一
2114 いつだって大変な時代――堀井憲一郎
2134 いまを生きるための思想キーワード――仲正昌樹
2155 独立国家のつくりかた　坂口恭平
2167 新しい左翼入門――松尾匡
2168 社会を変えるには――小熊英二
2172 私とは何か――平野啓一郎
2177 わかりあえないことから　平田オリザ
2179 アメリカを動かす思想　小川仁志
2216 まんが 哲学入門――森岡正博 寺田にゃんこふ
2254 教育の力――苫野一徳
2274 現実脱出論――坂口恭平
2290 闘うための哲学書――小川仁志 萱野稔人
2341 ハイデガー哲学入門　仲正昌樹
2437 ハイデガー『存在と時間』入門――轟孝夫

宗教

27 禅のすすめ――佐藤幸治
135 日蓮――久保田正文
217 道元入門――秋月龍珉
606 「般若心経」を読む――紀野一義
667 生命《いのち》あるすべてのものに　マザー・テレサ
698 神と仏――山折哲雄
997 空と無我――定方晟
1210 イスラームとは何か――小杉泰
1469 ヒンドゥー教　クシティ・モーハン・セーン　中川正生 訳
1609 一神教の誕生――加藤隆
1755 仏教発見!――西山厚
1988 入門 哲学としての仏教　竹村牧男
2100 ふしぎなキリスト教――橋爪大三郎　大澤真幸
2146 世界の陰謀論を読み解く――辻隆太朗
2159 古代オリエントの宗教　青木健
2220 仏教の真実――田上太秀
2241 科学vs.キリスト教――岡崎勝世
2293 善の根拠――南直哉
2333 輪廻転生――竹倉史人
2337 『臨済録』を読む――有馬頼底
2368 「日本人の神」入門――島田裕巳

Ⓒ

政治・社会

経済・ビジネス

350 経済学はむずかしくない〈第2版〉——都留重人
1596 失敗を生かす仕事術 畑村洋太郎
1624 企業を高めるブランド戦略——田中洋
1641 ゼロからわかる経済の基本——野口旭
1656 コーチングの技術——菅原裕子
1926 不機嫌な職場——高橋克徳 河合太介 永田稔 渡部幹
1992 経済成長という病——平川克美
1997 日本の雇用——大久保幸夫
2010 日本銀行は信用できるか 岩田規久男
2016 職場は感情で変わる 高橋克徳
2036 決算書はここだけ読め!——前川修満
2064 決算書はここだけ読め! キャッシュ・フロー計算書編 前川修満

2125 ビジネスマンのための「行動観察」入門 松波晴人
2148 経済成長神話の終わり アンドリュー・J・サター 中村起子 訳
2171 経済学の犯罪——佐伯啓思
2178 経済学の思考法——小島寛之
2218 会社を変える分析の力 河本薫
2229 ビジネスをつくる仕事 小林敬幸
2235 20代のための「キャリア」と「仕事」入門——塩野誠
2236 部長の資格——米田巖
2240 会社を変える会議の力 杉野幹人
2242 孤独な日銀——白川浩道
2261 変わった世界 変わらない日本——野口悠紀雄
2267 「失敗」の経済政策史 川北隆雄
2300 世界に冠たる中小企業 黒崎誠

2303 「タレント」の時代——酒井崇男
2307 AIの衝撃——小林雅一
2324 〈税金逃れ〉の衝撃 深見浩一郎
2334 介護ビジネスの罠——長岡美代
2350 仕事の技法——田坂広志
2362 トヨタの強さの秘密 酒井崇男
2371 捨てられる銀行——橋本卓典
2412 楽しく学べる「知財」入門——稲穂健市
2416 日本経済入門——野口悠紀雄
2422 捨てられる銀行2 非産運用——橋本卓典
2423 勇敢な日本経済論——髙橋洋一 ぐっちーさん
2425 真説・企業論——中野剛志
2426 東芝解体 電機メーカーが消える日 大西康之

世界の言語・文化・地理

知的生活のヒント

78 大学でいかに学ぶか　増田四郎
86 愛に生きる――鈴木鎮一
240 生きることと考えること　森有正
297 本はどう読むか――清水幾太郎
327 考える技術・書く技術――板坂元
436 知的生活の方法――渡部昇一
553 創造の方法学――高根正昭
587 文章構成法――樺島忠夫
648 働くということ――黒井千次
722 「知」のソフトウェア――立花隆
1027 「からだ」と「ことば」のレッスン――竹内敏晴
1468 国語のできる子どもを育てる――工藤順一
1485 知の編集術――松岡正剛
1517 悪の対話術――福田和也
1563 悪の恋愛術――福田和也
1620 相手に「伝わる」話し方　池上彰
1627 インタビュー術!――永江朗
1679 子どもに教えたくなる算数　栗田哲也
1865 老いるということ――黒井千次
1940 調べる技術・書く技術――野村進
1979 回復力――畑村洋太郎
1981 日本語論理トレーニング――中井浩一
2003 わかりやすく〈伝える〉技術――池上彰
2021 新版 大学生のためのレポート・論文術――小笠原喜康
2027 地アタマを鍛える知的勉強法――齋藤孝
2046 大学生のための知的勉強術――松野弘
2054 〈わかりやすさ〉の勉強法――池上彰
2083 人を動かす文章術――齋藤孝
2103 アイデアを形にして伝える技術――原尻淳一
2124 デザインの教科書――柏木博
2165 エンディングノートのすすめ――本田桂子
2188 学び続ける力――池上彰
2201 野心のすすめ――林真理子
2298 試験に受かる「技術」――吉田たかよし
2332 「超」集中法――野口悠紀雄
2406 幸福の哲学――岸見一郎
2421 牙を研げ 会社を生き抜くための教養　佐藤優
2447 正しい本の読み方　橋爪大三郎

M

心理・精神医学

自然科学・医学

1141 安楽死と尊厳死——保阪正康
1328 「複雑系」とは何か——吉永良正
1343 カンブリア紀の怪物たち　サイモン・コンウェイ・モリス　松井孝典 監訳
1500 科学の現在を問う　村上陽一郎
1511 優生学と人間社会——米本昌平 松原洋子 橳島次郎 市野川容孝
1689 時間の分子生物学——粂和彦
1700 核兵器のしくみ——山田克哉
1706 新しいリハビリテーション　大川弥生
1786 数学的思考法——芳沢光雄
1805 人類進化の700万年　三井誠
1813 はじめての〈超ひも理論〉　川合光
1840 算数・数学が得意になる本　芳沢光雄
1861 〈勝負脳〉の鍛え方——林成之
1881 「生きている」を見つめる医療——中村桂子 山岸敦
1891 生物と無生物のあいだ　福岡伸一
1925 数学でつまずくのはなぜか　小島寛之
1929 脳のなかの身体——宮本省三
2000 世界は分けてもわからない　福岡伸一
2023 ロボットとは何か——石黒浩
2039 ソーシャルブレインズ入門　藤井直敬
2097 〈麻薬〉のすべて——船山信次
2122 量子力学の哲学——森田邦久
2166 化石の分子生物学——更科功
2191 DNA医学の最先端　大野典也
2204 森の力——宮脇昭
2219 宇宙はなぜこのような宇宙なのか——青木薫
2226 宇宙生物学で読み解く「人体」の不思議——吉田たかよし
2244 呼鈴の科学——吉田武
2262 生命誕生——中沢弘基
2265 SFを実現する——田中浩也
2268 生命のからくり——中屋敷均
2269 認知症を知る——飯島裕一
2292 認知症の「真実」——東田勉
2359 ウイルスは生きている　中屋敷均
2370 明日、機械がヒトになる　海猫沢めろん
2384 ゲノム編集とは何か　小林雅一
2395 不要なクスリ 無用な手術　富家孝
2434 生命に部分はない——A・キンブレル　福岡伸一 訳

K

世界史Ⅰ

834 ユダヤ人——上田和夫
930 フリーメイソン——吉村正和
934 大英帝国——長島伸一
968 ローマはなぜ滅んだか 弓削達
1017 ハプスブルク家——江村洋
1019 動物裁判——池上俊一
1076 デパートを発明した夫婦 鹿島茂
1080 ユダヤ人とドイツ——大澤武男
1088 ヨーロッパ「近代」の終焉——山本雅男
1097 オスマン帝国——鈴木董
1151 ハプスブルク家の女たち 江村洋
1249 ヒトラーとユダヤ人 大澤武男
1252 ロスチャイルド家 横山三四郎
1282 戦うハプスブルク家 菊池良生
1283 イギリス王室物語——小林章夫
1321 聖書vs.世界史——岡崎勝世
1442 メディチ家——森田義之
1470 中世シチリア王国——高山博
1486 エリザベスI世——青木道彦
1572 ユダヤ人とローマ帝国 大澤武男
1587 傭兵の二千年史——菊池良生
1664 新書ヨーロッパ史 中世篇 堀越孝一 編
1673 神聖ローマ帝国——菊池良生
1687 世界史とヨーロッパ 岡崎勝世
1705 魔女とカルトのドイツ史——浜本隆志
1712 宗教改革の真実——永田諒一
2005 カペー朝——佐藤賢一
2070 イギリス近代史講義——川北稔
2096 モーツァルトを「造った」男——小宮正安
2281 ヴァロワ朝——佐藤賢一
2316 ナチスの財宝——篠田航一
2318 ヒトラーとナチ・ドイツ 石田勇治
2442 ハプスブルク帝国——岩﨑周一